Studio comparativo dei sistem

Nayeli Gonzalez Roblero

Studio comparativo dei sistemi giuridici messicano e colombiano

ScienciaScripts

Imprint

Any brand names and product names mentioned in this book are subject to trademark, brand or patent protection and are trademarks or registered trademarks of their respective holders. The use of brand names, product names, common names, trade names, product descriptions etc. even without a particular marking in this work is in no way to be construed to mean that such names may be regarded as unrestricted in respect of trademark and brand protection legislation and could thus be used by anyone.

Cover image: www.ingimage.com

This book is a translation from the original published under ISBN 978-620-0-05519-4.

Publisher:
Sciencia Scripts
is a trademark of
Dodo Books Indian Ocean Ltd. and OmniScriptum S.R.L publishing group

120 High Road, East Finchley, London, N2 9ED, United Kingdom
Str. Armeneasca 28/1, office 1, Chisinau MD-2012, Republic of Moldova, Europe

ISBN: 978-620-7-27283-9

INDICE DEI CONTENUTI

INTRODUZIONE

Lo scopo di questo elaborato è quello di descrivere la ricerca accademica sviluppata durante il mio soggiorno presso l'Universidad Santo Tomas di Medellin, in Colombia; l'argomento proposto era quindi il seguente: Studio comparativo tra i sistemi giuridici di Colombia e Messico, per ottenere il risarcimento dei danni causati alle persone private della libertà. Inoltre, ha l'obiettivo principale di arricchire il progetto di ricerca della tesi intitolato: Violazione del diritto umano di accesso alla giustizia; riparazione del danno nel caso di Anibal, che fa parte della laurea magistrale dell'Università Autonoma del Chiapas, Messico.

L'indagine proposta è di grande rilevanza per il sistema giuridico messicano, poiché nello Stato del Chiapas, in Messico, le vittime ingiustamente private della libertà, in pratica, non dispongono di strumenti giuridici efficaci per ottenere la tutela dei loro diritti umani violati in conseguenza della privazione della libertà. Infatti, sebbene esista la Legge generale sulle vittime, essa non è applicabile con l'unico pretesto di non avere una legislazione che regoli il risarcimento dei danni patrimoniali ed extra-patrimoniali causati dallo Stato nell'esercizio dello ius puniendi. E sebbene il diritto al risarcimento sia garantito dalla Magna Charta, nonché dalle convenzioni e dai trattati internazionali firmati dallo Stato messicano, d'altra parte, non esiste un sistema di responsabilità extracontrattuale dello Stato, in particolare così come è stato concepito in Colombia attraverso la Costituzione, la Legge e la Giurisprudenza, con l'intento di realizzare il diritto al risarcimento dei danni causati dallo Stato. Nel presente studio, si cita da una prospettiva giuridica l'onere del mandato secondo la legislazione che indica il caso particolare, secondo la Costituzione, la Legge, la Giurisprudenza e la Dottrina, e quindi per conoscere i regimi applicabili che Messico e Colombia hanno. Secondo il piano di lavoro del soggiorno, il seguente testo è stato presentato all'Università di Santo Tomas, Medellin, Colombia, e si riferisce solo al contesto giuridico dell'onere del mandato che esiste tra Messico e Colombia, stabilendo così i criteri che ogni Paese deve applicare per il diritto al risarcimento.

PROLOGO

All'interno di questa riflessione accademica, è importante vedere le azioni e le omissioni del mandato che causano danni e pregiudizi, sia immateriali che materiali, alle persone private della libertà. Lo studio comparativo di questa situazione in Messico e in Colombia offre un'analisi critica della situazione in Messico, come risultato del mancato sviluppo legislativo e della struttura giudiziaria in accordo con questa necessità; la Colombia offre un'esperienza legislativa, dottrinale e giurisprudenziale a questo proposito.

Dovrebbe essere chiaro che lo Stato, essendo responsabile della produzione del danno illegale, e di conseguenza, dovrà effettuare una riparazione completa, da un punto di vista dei diritti umani, vale a dire che il risarcimento non sarà solo per il danno prodotto, che deriva dalla privazione della libertà, ma implica anche il ripristino dello status quo della vittima.

Capitolo 1

I PRECEDENTI DELLA RESPONSABILITÀ DELLO STATO

1. Messico e Colombia

In Messico, parlare del sistema di responsabilità dello Stato significa identificare le regole principali e dimostrarne la giustificazione. È inoltre necessario incorporare lo status del principio di responsabilità dello Stato e gli antecedenti più importanti secondo (Pdrez, 2009). Partiamo dalla regolamentazione generica della responsabilità derivante da atti illeciti, nonché dalla responsabilità oggettiva dello Stato e dei suoi organi e funzionari, ossia prima della creazione della Legge federale sulla responsabilità dello Stato, è stato preso come base il Codice civile federale.

Poi la fonte di responsabilità dello Stato è quella stabilita nell'articolo 1916, e fa riferimento al danno morale, che sottolinea l'effetto che una persona può subire nei suoi sentimenti, nella sua dignità e nei suoi aspetti fisici, o nella considerazione che altri hanno, è necessario segnalare il (Codigo Civil Federal, 2016)[1] dove si menziona la presunzione di danno morale, e quindi viola o mina la libertà o l'integrità fisica o psicologica della persona.

Secondo il (Codigo Civil Federal, 2016), si descrive anche che "un'azione o un'omissione illecita produce un danno morale e in effetti la persona responsabile di esso avrà l'obbligo di ripararlo", mediante un risarcimento in denaro conforme al danno materiale, sia nella responsabilità contrattuale che in quella extracontrattuale e si sottolinea l'obbligo di riparare il danno morale che incorre nella colpa oggettiva, così come lo Stato e i suoi funzionari pubblici, in conformità con il presente Codice. (Riformato nel Decreto pubblicato nella Gazzetta Ufficiale della Federazione il 10 gennaio 1994). Dal testo sopra riportato, si può dedurre che l'intenzione del legislatore nel redigerlo era quella di preservare il diritto della personalità, cioè di garantire il godimento delle facoltà e il rispetto dello sviluppo della personalità fisica e morale, attraverso la tutela dei valori intrinseci della dignità umana.

Di conseguenza, le norme sono sostanzialmente ribadite in tutti i codici civili delle trentadue entità federative della Repubblica[2]. D'altra parte, lo Stato del Messico fa riferimento alla colpevolezza del governo in materia di risarcimento dei danni morali e di limiti negli atti illeciti.

---

[1] Secondo il Codigo Civil (2016), resta inteso che chi chiede il risarcimento dei danni morali per responsabilità contrattuale o extracontrattuale deve provare pienamente l'illiceità della condotta del convenuto e il danno causato da tale condotta.

[2] Pertanto, il risarcimento dei danni morali non è esigibile dal governo, come nei casi di Aguascalientes, Baja California, Chiapas, Durango, Hidalgo, Michoacan, Nuevo Leon e Sinaloa, anche se va sottolineato che Torres Herrera spiega nei suoi testi che non esiste una legislazione specifica che regoli il diritto al risarcimento, sebbene le vittime in questa situazione si trovino in uno stato di indifesa, dove non esiste alcuna protezione per le loro garanzie fondamentali.

D'altra parte, le leggi di altri Stati come: lo Stato di Aguascalientes, lo Stato di Baja California, lo Stato del Chiapas, lo Stato di Durango, lo Stato di Hidalgo, lo Stato di Michoacan, lo Stato di Nuevo Leon e lo Stato di Sinaloa, escludono completamente lo Stato dal risarcimento dei danni morali. Per quanto riguarda la responsabilità dello Stato, la legislazione di alcuni Stati presenta alcune particolarità (Torres Herrera, 2004, p. 11). È eminentemente negativo che i suddetti Stati non siano obbligati a rispondere alla richiesta o alla domanda di risarcimento dei danni morali per responsabilità contrattuale o extracontrattuale, con il pretesto che non esiste una legge che stabilisca il diritto al risarcimento del danno.

Poi, fa riferimento al fatto che è di natura solidale nel caso di atti illeciti, e coincide con il Codice Civile Federale e con i codici civili di Baja California Sur, Coahuila, Distrito Federal, Guanajuato, Queretaro e Sinaloa.[3] Ora, la Magna Carta sostiene che la base generale della responsabilità patrimoniale dello Stato ha raggiunto il massimo livello normativo in Messico grazie all'aggiunta di un secondo paragrafo all'articolo 113. Secondo Pdrez (2009), egli spiega che a causa di questa edizione, la colpevolezza sorge e si considera un'attività amministrativa irregolare, quando colpisce i patrimoni degli individui, quindi coloro che sono stati riconosciuti come titolari di un diritto pubblico soggettivo configuravano una garanzia individuale, superando la tendenza a regolamentare la responsabilità patrimoniale.

Nel Diario Oficial de la Federación del 14 giugno 2002 è stato pubblicato un decreto che ha aggiunto un secondo paragrafo all'articolo 113 della Costituzione, entrato in vigore il 1° gennaio 2004, nella motivazione delle ragioni della riforma costituzionale, in cui si menziona che il regime di responsabilità sussidiaria dello Stato è arcaico, Il "Codigo Civil Federal (Codice Civile Federale) afferma che è arcaico per quanto riguarda i danni causati dai suoi funzionari, e che quindi era necessario che tale responsabilità fosse ora oggettiva e diretta contro lo Stato" (Suprema Corte de Justicia de la Nacion, Tesis Isolada, 2005).

Ora, quindi, la norma costituzionale della Magna Carta, del 2004, spiega l'inizio di un nuovo diritto degli individui a ottenere un risarcimento secondo la Legge, che è stata stabilita successivamente e alle entità federali è attribuito il potere di creare la necessaria legislazione di responsabilità patrimoniale dello Stato, secondo Pdrez (2009) sostiene che queste pratiche sono entrate in vigore fino al primo gennaio del duemilanove.

Secondo il secondo comma dell'articolo 113 della Costituzione, stabilisce che la responsabilità finanziaria dello Stato per i danni causati alla proprietà o ai diritti degli individui, derivanti dalla sua attività amministrativa irregolare, sarà oggettiva e diretta, e d'altra parte, la modifica

---

[3] Negli altri enti federali la responsabilità dello Stato è solo sussidiaria, in tutti i casi.

costituzionale è stata affermata nei postulati della teoria del danno antigiuridico, (Pdrez, 2009, pp. 13-38).

In base al paragrafo precedente, Pdrez menziona che la responsabilità patrimoniale dello Stato stabilita nell'articolo 113 della Magna Charta, è diventata oggettiva e diretta, e ne è derivato il diritto pubblico soggettivo degli individui a richiedere un risarcimento secondo le basi, i limiti e le procedure della legislazione.

Inoltre, esiste la Legge Federale sulla Responsabilità Patrimoniale dello Stato, annunciata nella Gazzetta Ufficiale della Federazione il 31 dicembre 2004 ed entrata in vigore il 1° gennaio 2005, che regola il secondo paragrafo dell'articolo 113 della Magna Carta e aggiunge quali sono gli enti pubblici federali, che possono generare la responsabilità patrimoniale dello Stato e il regime di responsabilità patrimoniale per ottenere il diritto al risarcimento, e indica anche che il Tribunale Federale di Giustizia Fiscale e Amministrativa sarà incaricato delle procedure in materia (Pdrez, 2009, pp. 1438)[4]

Ora, secondo la Magna Charta del 2005, il principio di supremazia costituzionale è stato riformato nell'articolo 113, secondo comma, e si comprende che il deputato ha fatto le regole di procedura in materia, e lo Stato ha potuto rispettare la legge. In considerazione del fatto che le condotte amministrative irregolari derivano dalla responsabilità patrimoniale dello Stato e sono state generalizzate nella responsabilità civile, derivata da atti illeciti, prevista in modo generale nella legislazione civile.

Secondo Hector (2006), nonostante l'inclusione della responsabilità civile oggettiva e diretta nella Magna Charta e nella Legislazione Federale della Responsabilità Patrimoniale dello Stato, si interpreta che le persone che subiscono danni, senza l'obbligo legale di sopportarli, anche nei loro beni e diritti a causa dell'attività amministrativa irregolare dello Stato, possono richiedere il diritto al risarcimento, dovendo solo dimostrare che non esiste una base legale di giustificazione per legittimare il danno. È necessario sottolineare quanto sia stato difficile sviluppare il sistema di responsabilità patrimoniale dello Stato in Messico, a causa del mancato esercizio della funzione amministrativa nell'ordinamento giuridico, con l'aumento della presenza dello Stato nella società; e anche per i complessi problemi che devono essere affrontati dall'autorità, in materia amministrativa (Torres Herrera, 2004).

Colombia

Per quanto riguarda l'evoluzione della responsabilità dello Stato, è necessario evidenziare le diverse

---

[4] L'ordinamento giuridico in materia amministrativa stabilisce le procedure e le basi per il diritto al risarcimento di coloro che, senza l'obbligo legale di sostenerlo, subiscono danni ai loro beni e diritti a causa di un'attività amministrativa irregolare dello Stato.

tappe che sono trascorse e che possono essere affrontate anche con uno sguardo al tempo, ponendo l'accento sull'analisi precedente all'entrata in vigore della Magna Carta del 1991 e su quella successiva all'entrata in vigore della Costituzione politica; In questa Carta, il primo precedente spiega la responsabilità indicata dalla Corte Suprema di Giustizia e ammessa dal Consiglio di Stato, e il secondo precedente spiega lo studio della responsabilità dello Stato colombiano, rispetto alla sezione 90, che specifica la Costituzione del 1991. Si ricorda inoltre che "a partire dal XIX secolo la Corte Suprema ha dimostrato di essere competente in materia di responsabilità dello Stato nella Costituzione del 1886" (Rivera Villegas, 2003), mentre il Consiglio di Stato spiega la questione della responsabilità dello Stato e della dichiarazione di nullità (Nader Orfale, 2010, p. 9).

Allo stesso modo, Nader Orfale, (2010), sottolinea che fu a partire dal 1964 che la spedizione del decreto 528 fu trasferita dalla giurisdizione amministrativa contenziosa alla giurisdizione generale sulla questione della responsabilità dello Stato, in analogia con l'opinione di Pinzon, (2016), solo questioni di diritto privato, per questo motivo è stato necessario dividere lo studio della responsabilità dichiarata dalla Corte Suprema di Giustizia e quella dichiarata dal Consiglio di Stato.

Tuttavia, "gli accordi straordinari della sentenza del 1898, dove sono state concordate le linee guida universali della responsabilità nel Codigo Civil" (Saavedra, Ordonez, 2015). Inoltre, sottolineo le norme che regolavano la responsabilità dello Stato degli individui che si fondano sulla Corte, in quanto era la giurisdizione comune e conosciuta per affrontare i conflitti che sorgevano (Pinzon Munoz, 2016). A mio avviso, si capisce che l'applicazione della teoria della responsabilità vicaria come argomento era per dimostrare la responsabilità delle persone giuridiche.

In base a quanto sopra, è stato dimostrato che lo Stato è responsabile delle azioni dei suoi agenti nel caso in cui queste non siano appropriate o quando non esercita una rigorosa vigilanza sulle sue azioni. Così, la Corte Suprema ha rivelato i concetti fondamentali della responsabilità vicaria e ha abbracciato la teoria della responsabilità diretta, che si basava sul Codice Civile, come è stato dimostrato dalla sentenza del 1993[5] secondo Pinzon, (2016) che esalta la responsabilità vicaria della Corte Suprema.

Allo stesso modo, la Corte ha spiegato la responsabilità extracontrattuale dello Stato nell'inadempimento del servizio, dove ciò che era indispensabile era l'inadempimento dell'amministrazione in quanto tale e non la colpa personale dell'agente, passando quindi a un livello supplementare; poiché lo Stato era chiamato a riparare i danni (Rivera Villegas, 2003, p.

---

[5] Spiega anche la teoria basata sulla culpa in eligendo e sulla culpa in vigilando, che ha collocato la responsabilità indiretta dello Stato per il malfunzionamento dei servizi pubblici nell'ambito della responsabilità civile, (...), tuttavia questo tipo di responsabilità non corrisponde esattamente alla responsabilità civile extracontrattuale delle persone giuridiche di diritto pubblico, ma piuttosto in questi casi non c'è una debolezza dell'autorità o un'assenza di supervisione e di cura che appaia a causa di azioni altrui, è inteso in conformità con gli argomenti costituzionali.

17).

Anche la Corte Suprema di Giustizia ha contribuito alla responsabilità dello Stato all'inizio, iniziando a dichiarare sulla base delle norme, per poi entrare nello specifico con i principi del diritto privato, che sono stati i pilastri per sviluppare la responsabilità dello Stato[6] . Pertanto, la responsabilità è stata dichiarata dal Consiglio di Stato e ha concesso alla Giurisdizione amministrativa contenziosa la competenza a conoscere delle controversie in materia di responsabilità dell'Amministrazione (Rivera Villegas, 2003, p. 18).

Di conseguenza, la giurisprudenza amministrativa di (1991) spiega che sono stati fatti progressi nei diversi regimi di responsabilità, motivo per cui è necessario osservare quanto affermato nell'articolo 90 della Magna Carta per sapere se c'è stato davvero un cambiamento sostanziale in ciò che è stato detto sulla responsabilità dello Stato. D'altra parte, Riveras (2003) sostiene che all'Assemblea Nazionale Costituente furono presentati ventisei progetti che facevano riferimento alla responsabilità dello Stato, ma non tutti furono considerati principi, poiché molti di essi non erano incentrati su questo tema, in quanto "era ovviamente necessaria l'introduzione di un articolo che facesse riferimento alla responsabilità diretta e oggettiva dello Stato" (Rivera Villegas, 2003). (Rivera Villegas, 2003, p. 20).

La Magna Charta, nell'articolo 90 del 1991, sottolinea di avere un argomento nel concetto di danno, e lo definisce come il pregiudizio patrimoniale che colpisce una persona, in quanto non ha il dovere legale di sopportarlo. D'altra parte, "il costituente si basava sulla responsabilità dello Stato e nel principio oggettivo di illiceità, ciò che è essenziale è l'esistenza di un danno illecito causato, a differenza della teoria soggettiva, dove l'importante era il danno illecito causato"[7] . (Rivera Villegas, 2003, p. 22).

Dall'emanazione della Magna Carta del 1991, e dall'attuale articolo 90[8] , si evince l'obbligo dello Stato di risarcire, e secondo le idee determinate da (Gomdz Sierra, 2010), che il precetto giuridico si basa sulle fonti della responsabilità extracontrattuale dello Stato. Di conseguenza, (Rivera Villegas, 2003, p. 23) afferma che la base della responsabilità patrimoniale si applica al dovere dello Stato di proteggere e garantire l'effettiva tutela dei diritti umani, in quanto questi non possono essere violati da danni e lesioni che alterano l'uguaglianza dei cittadini di fronte agli oneri pubblici.

---

[6] Allo stesso modo, si spiega che la responsabilità dello Stato non può essere studiata e decisa sulla base delle norme civili che regolano la responsabilità extracontrattuale, ma piuttosto con i principi e le dottrine del diritto amministrativo in relazione alle differenze sostanziali che esistono tra questo e il diritto civile, in conformità con le materie che regolano entrambi i diritti, al fine di perseguire.

[7] Allo stesso modo, si comprende l'analisi fatta da Rivera (2003), il regime che si espone in materia di responsabilità patrimoniale dello Stato non si limita alla sua fondazione a livello costituzionale, ma incorpora anche i nuovi criteri in materia, Risolve anche la situazione che oggi viene sostenuta come insufficienza del fallimento del servizio pubblico, così come le forme e i casi attuali di responsabilità patrimoniale, nonché il caso della responsabilità per danno speciale.

[8] Allo stesso modo, la Costituzione politica del 1991, all'articolo 90, afferma che il governo deve rispondere patrimonialmente dei danni illeciti causati dal suo potere.

Inoltre, è necessario sottolineare che uno dei "precedenti più significativi che hanno dato origine alla responsabilità dello Stato è stata la sentenza[9] dichiarata in Francia dalla Corte delle controversie nel 1873" (Hector, 2006, p. 14). 14), la base della responsabilità extracontrattuale dello Stato è limitata dal principio della responsabilità civile in riferimento al Codice di Napoleone, in quanto per iniziare la struttura di un regime specifico di responsabilità dello Stato, si ritiene che la sentenza sia stata un modo per la giurisprudenza di stabilire regole diverse da quelle del codice civile per ritenere lo Stato responsabile delle sue azioni o omissioni, regole che saranno diverse applicabili ai privati. Allo stesso modo, "lo sviluppo giurisprudenziale è costituito da diversi regimi che hanno adattato la concezione della responsabilità dello Stato sociale nell'ambito dello Stato di diritto e che deve rispondere di tutti i danni" (Meneses Mosquera, 2000).

Pertanto, "la prima tappa è stata l'evoluzione della giurisprudenza francese sulla responsabilità dello Stato e del Codice Civile" (Hector, 2006, p. 16). Si ricorda che all'interno di questo regime la colpa dell'agente presuppone la persona giuridica, questa idea corrisponde alla differenza che si è sviluppata nella responsabilità civile in relazione alla responsabilità in eligendo in vigilando, quindi sono state concepite due tesi fondamentali la responsabilità diretta e la responsabilità indiretta. Hector, (2006) sottolinea in cosa consisteva:

In primo luogo, la responsabilità vicaria

Innanzitutto, è stata la prima a riconoscere le persone giuridiche, sia private che pubbliche, in base alla colpa del funzionario o del dipendente della persona giuridica nel caso in cui siano stati causati danni a terzi nell'esercizio delle loro funzioni.

Allo stesso modo Hdctor (2006) sostiene nella tesi principale l'idea che una persona giuridica abbia l'obbligo di scegliere i propri agenti e di vigilare su di essi con attenzione, in modo tale che questi, incorsi in colpa durante l'esercizio delle loro posizioni, colpiscano la persona giuridica considerando che anche questa incorre in colpa, sia nella colpa in eligendo, che significa colpa nella scelta, sia nella colpa in vigilando, intesa come colpa nella vigilanza (p. 18).

Secondo l'illustre Nader, (2010) nel suo parere, spiega che la dichiarazione si basava sul diritto civile (...) dove si fonda la responsabilità indiretta dei diritti altrui. Al contrario, la giurisprudenza colombiana del 1898 non riconosceva la responsabilità delle persone morali in base al diritto privato o pubblico, fermo restando che né il codice di Bello, né altre legislazioni del secolo precedente riconoscevano la responsabilità.[10]

---

[9] La sentenza è importante perché apre la strada a una giurisdizione speciale per giudicare le azioni dello Stato.
[10] Di conseguenza, la massima corte di giustizia amministrativa ha presentato l'evoluzione della responsabilità dello Stato colombiano, attraverso la giurisprudenza del Consiglio di Stato e della Terza Sezione del Tribunale Amministrativo Contenzioso, con la presentazione del magistrato Jorge Valencia Arango.

In secondo luogo, la responsabilità diretta.

Nel frattempo, la giurisdizione ordinaria e civile, dopo l'applicazione della tesi della responsabilità vicaria, ha iniziato a essere censurata da diversi settori della società giuridica, d'altra parte (Nader Orfale, 2010, p. 5), segnala diversi contraddittori che avanzano le argomentazioni della loro disapprovazione della tesi e della scelta, secondo le seguenti idee proposte:

1) Nel frattempo, il concetto di in eligendo aveva la sua opposizione, poiché non tutti i funzionari erano scelti dallo Stato, al contrario, ce n'erano alcuni che venivano imposti dai soci, come quelli eletti dal popolo.

2) Dato che non era possibile operare la rottura tra lo Stato e i suoi agenti, poiché il primo nelle sue varie forme di azione era necessariamente destinato a concretizzarsi attraverso i secondi, lo Stato era direttamente responsabile degli effetti delle sue azioni.[11]

In conformità a quanto sopra, le corti superiori del nostro organo giurisdizionale hanno iniziato a costruire le fondamenta della teoria della responsabilità diretta, chiamata nello specifico responsabilità per le proprie azioni.

In questo senso, la Corte Suprema di Giustizia ha affermato che la responsabilità civile per atti illeciti non si applica solo alla persona fisica, ma anche alla persona giuridica per gli atti dei suoi rappresentanti legali e plenari nell'esercizio delle loro funzioni. Pertanto, nell'esercizio delle loro funzioni e dei loro poteri, i rappresentanti della persona giuridica hanno compiuto atti lesivi degli interessi e, soprattutto, dei beni altrui, poiché sono tenuti a riparare il danno. Di conseguenza, Nader Orfale (2010) aggiunge che le persone giuridiche sono responsabili degli atti compiuti dai loro agenti nell'esercizio della loro funzione o posizione.

La Corte Suprema di Giustizia, che fino al 1964 era competente a conoscere questo tipo di processo, modifica quindi il criterio della responsabilità indiretta e afferma infine che la responsabilità dello Stato è diretta, alludendo non più alla Magna Charta del 1886, ma alla Costituzione del 1991, quindi la teoria dell'inadempimento del servizio è la base principale della responsabilità finanziaria dello Stato, (Nader Orfale, 2010, p. 6). 6) D'altra parte, è necessario sottolineare i precedenti del Consiglio di Stato: in una prima fase, la giurisprudenza ha sostenuto la posizione di irresponsabilità dello Stato per gli atti di natura giurisdizionale.

Di conseguenza, emergono i primi passi per la creazione di una nuova teoria, dato che si baserebbe su una diversa forma di responsabilità dello Stato e la sua analisi si baserebbe su un giudizio delle

---

[11] Nella seconda tesi, la persona giuridica e i suoi agenti cominciarono a essere considerati come un corpo unico, in modo che la colpa dei suoi agenti corrispondesse alla colpa dello Stato stesso, e di conseguenza si mantenne come base il diritto civile, ma in questo caso il punto di partenza era l'articolo 2341.

azioni dell'amministrazione (Maryse, 2010).

Teoria del guasto o dell'interruzione del servizio.

In accordo con le condizioni precedenti in Colombia, si è affermata una tesi che si basa sulla teoria del servizio pubblico e che si ritrova anche in Europa nel dopoguerra, chiamata teoria della colpa o del fallimento del servizio; Nader (2010) spiega l'imputazione che consisteva nel fatto che un soggetto pubblico non agisse quando avrebbe dovuto farlo in un determinato caso.

Secondo la giurisprudenza del Consiglio di Stato, si evince che i servizi forniti dalla nazione o da qualsiasi altro ente di diritto pubblico falliscono "in primo luogo dando luogo alla dichiarazione di responsabilità e in secondo luogo condannando al pagamento dei danni" in qualsiasi momento in cui vengono forniti con una carenza o viene inflitto un danno a una persona" (Nader Orfale, 2010, p. 8), cioè quando lo Stato frammenta il quadro degli oneri pubblici sottoposti ai residenti della Colombia.[12]

Pertanto, viene citata la fonte comune della responsabilità dello Stato:

1. Un difetto o un'omissione di servizio, per omissione, ritardo, irregolarità, inefficienza o assenza di servizio, quando il difetto o l'omissione non è imputabile all'agente amministrativo, ma al difetto o all'omissione del servizio o al difetto anonimo dell'amministrazione.

2. Ciò implica che l'amministrazione abbia agito o omesso di agire, escludendo quindi gli atti dell'agente, che sono al di fuori del servizio.

3. Pertanto, un danno implica la lesione o il turbamento di un bene protetto dal diritto amministrativo, istruito con le caratteristiche generali del diritto privato per il danno risarcibile.

4. Il rapporto di causalità tra l'inadempimento dell'amministrazione e il danno, al contrario, una volta dimostrata la mancanza o l'inadempimento del servizio, non ci sarà spazio per il risarcimento.

Allo stesso modo, l'applicazione del diritto pubblico è sancita in materia di responsabilità amministrativa attraverso la teoria della colpa o del disservizio, e "di conseguenza ha costituito la base principale della responsabilità dello Stato fino all'entrata in vigore della Costituzione del 1991" (Nader Orfale, 2010, p. 9), mentre la Costituzione politica del 1991 fornisce alla società giuridica un nuovo criterio per definire la responsabilità dello Stato attraverso il concetto di danno illegale.

---

[12] Inoltre, attraverso una forma di giurisprudenza, la Corte Suprema delle controversie amministrative ha elaborato alcuni aspetti per formare la responsabilità dello Stato, basandosi sulla teoria della colpa, della mancanza o dell'inadempienza del servizio, cioè quando lo Stato nello svolgimento delle sue funzioni incorre nella cosiddetta mancanza o inadempienza del servizio in quanto si riferisce a omissioni e azioni amministrative.

Così, la teoria della colpa o dell'inadempimento del servizio ha il suo fondamento nel diritto francese, mentre il danno illegale è costituito nel diritto spagnolo e il supporto costituzionale si trova nella Magna Charta colombiana, e d'altra parte "l'illegalità del danno come criterio per stabilire la responsabilità dello Stato ha il suo fondamento nell'articolo 90 della Costituzione politica", (Nader Orfale, 2010, p. 10).

In base all'articolo 90 della Costituzione, che stabilisce che il governo è responsabile per la proprietà a seguito di un danno illegale causato dal governo, si intende che la nozione di danno illegale delimita il concetto di lesione di un interesse legittimo alla proprietà, nella misura in cui la vittima non ha l'obbligo legale di sopportarlo; Affinché si possa stabilire la colpevolezza per danno illecito, sono necessarie due condizioni: l'esistenza di un danno illecito e che questo danno sia imputabile a una persona di diritto pubblico, in modo che le condizioni costituiscano elementi di colpevolezza nella teoria.

D'altra parte, la Corte Costituzionale e il Consiglio di Stato hanno costruito il processo di argomentazione giurisprudenziale che, nella misura in cui esprime il sostegno alla teoria del danno illecito come base per la responsabilità dello Stato; dagli approcci il cui margine si delimita nell'essenza stessa dell'illecito, hanno incluso elementi di natura normativa, che accompagnano i principi e i valori costituzionali e che contribuiscono anche alla letteratura sul modello di responsabilità[13] . (Nader Orfale, 2010, pagina 11).

In base agli strumenti giurisprudenziali e dottrinali sopra menzionati, si può indicare che la responsabilità basata sul danno illecito costituisce un progresso nel riconoscimento dei diritti e delle garanzie di ogni individuo, il cui sviluppo è concentrato nel quadro nazionale, (Flores Trujillo, 2010), e d'altra parte, la Costituzione politica del (1991), enfatizza la responsabilità dello Stato all'articolo 90 ed è elevata a rango costituzionale "derivante dai danni antigiuridici imputabili allo Stato causati dall'azione o dall'omissione delle autorità" (Maryse, 2010, p. 30), e l'interpretazione della Costituzione del (1991), enfatizza la responsabilità dello Stato all'articolo 90 ed è elevata a rango costituzionale "derivante dai danni antigiuridici imputabili allo Stato causati dall'azione o dall'omissione delle autorità" (Maryse, 2010, p. 30), e l'interpretazione della responsabilità dello Stato si basa sul principio che lo Stato è responsabile dei danni causati dall'azione o dall'omissione delle autorità. 30), e l'interpretazione di questa norma si riferisce in particolare alla privazione ingiusta della libertà, d'altra parte il Consiglio di Stato, Terza Sezione, aggiunge che la responsabilità deriva dalla definizione di danno illegittimo, cioè "quando il detenuto aveva il dovere giuridico di sopportare

---

[13] Il Consiglio di Stato, all'articolo 90 della Costituzione, afferma un principio generale di responsabilità dello Stato per responsabilità pecuniaria che copre sia la responsabilità contrattuale che quella extracontrattuale e deduce che questi sono due elementi indispensabili per la dichiarazione di responsabilità pecuniaria dello Stato.

tale privazione, indipendentemente dall'illegittimità della decisione che serviva da base, tuttavia questa interpretazione è stata conosciuta anni dopo la normativa" (Sentenza, 14408, 2006).

D'altra parte, la prima disciplina giuridica della colpevolezza del mandato per atti amministrativi irregolari, rivolta a persone private della libertà, il Decreto Legge 2700 del 1991, è entrata in vigore nel 2001. Poi, "nell'anno 1994, la linea giurisprudenziale inizia a essere stabilita dal Consiglio di Stato, che viene considerato nelle sue sentenze come una sentenza miliare, e una prima interpretazione si manifesta nella sentenza fondante"[14] (Gutidrrez, 2017), e successivamente nella sentenza del 1992 e nella sentenza del 1994 (Flores Trujillo, 2010)". Va sottolineato che i progressi più recenti in materia di responsabilità dello Stato per ingiusta privazione della libertà sono dichiarati nella Sentenza 11368 del 2006" (Maryse, 2010, p. 33).

In relazione all'articolo 90 della Magna Charta (1991), il governo si è assunto la responsabilità dei danni illegittimi causati da azioni e omissioni amministrative irregolari e, di fatto, ha proceduto ad assumersi la colpa e il mandato, manifestando così la Terza Sezione che sposta il problema della colpa dalla condotta amministrativa e dal funzionamento irregolare del servizio pubblico.

Secondo l'articolo 90 della Costituzione (1991), si spiega che:

1. Il testo stabilisce una forma di responsabilità istituzionale che copre i danni causati da qualsiasi autorità pubblica.

2. Anche un danno illegale derivante da un'interruzione del servizio.

3. Infine, deve essere imputabile per azione o omissione all'autorità pubblica.

D'altra parte, in relazione alla "sentenza Blanco Bananero del 1976, che ha dato origine all'evoluzione della responsabilità diretta e indiretta, fino al concetto di inadempimento della prestazione, alla responsabilità oggettiva, alla responsabilità senza colpa" (Celemin, Reyes & Roa, Valencia, 2004, p. 5), anche Hector, (2006), argomenta sui temi della responsabilità ex-contrattuale dello Stato dalla sua creazione fino alla sua evoluzione.

Responsabilità, (colpa). Guasto del servizio, nesso causale e danno[15].

Per quanto riguarda il danno, esso è inteso come menomazione o pregiudizio che una persona

---

[14] Per sentenze di riferimento si intendono quelle in cui la Corte costituzionale cerca di definire con autorità il diritto costituzionale; Queste sentenze sono all'origine di cambiamenti all'interno della linea, e del potere che la Corte ha di ritoccare le sentenze precedenti, cioè, in base allo studio e all'analisi delle questioni reali che i giudici costituzionali presentano, stabiliscono dei criteri; d'altra parte, per sentenza dominante, si spiega che si tratta generalmente di sentenze dichiarate negli anni 1991-1992, la Corte sfrutta le sue sentenze di prima revisione per dare interpretazioni forti e ampie dei diritti costituzionali, cioè sono quelle sentenze che contengono criteri attuali e dominanti, in effetti la Corte costituzionale risolve i conflitti di interesse all'interno di un determinato atto costituzionale.

[15] Da quanto detto sopra, è chiaro che i concetti di via di fatto e di funzionamento amministrativo sono opposti l'uno all'altro. Si dice che l'azione dell'amministrazione deve essere irregolare, poiché il regime si basa principalmente sul fallimento del servizio, nonostante le disposizioni dell'articolo 90 della Costituzione politica vigente.

subice e che può essere patrimoniale o extrapatrimoniale. D'altra parte, Hector (2006) afferma che il danno deve soddisfare determinate caratteristiche per generare responsabilità, in altre parole, il danno deve essere certo, personale, illecito ed economicamente quantificabile. Vale a dire che il danno illegittimo, sottolinea la persona che subisce il danno e non ha il dovere legale di sopportarlo; il danno che è causato dall'azione o dall'omissione dell'amministrazione non è coperto da una causa di giustificazione delle imposte, in breve il danno è stimato economicamente agli effetti del risarcimento (p. 28). Allo stesso modo il nesso causale, secondo Meneses Mosquera (2000), spiega che deve esistere un rapporto di causalità tra la condotta dell'amministrazione e il danno prodotto, in modo tale che il secondo sia una conseguenza della prima; a questo proposito Hector (2006) anticipa che il nesso causale prevale nella teoria della causa efficiente intesa come quell'evento che è idoneo a produrre il danno. (p.31)

La responsabilità extracontrattuale dello Stato è intesa come un obbligo giuridico che lo Stato ha di risarcire i danni causati e riguarda una relazione di fatto che produce il danno, di conseguenza lo Stato sarà il soggetto attivo del danno e la vittima il soggetto passivo che lo sostiene, in modo tale che "gli autori e i tribunali colombiani hanno costruito un sistema avanzato di responsabilità dello Stato, al punto che il sistema di responsabilità dello Stato aveva regole di responsabilità oggettiva" (Meneses Mosquera, 2000, p. 8). (Meneses Mosquera, 2000, p. 8).

2. Contexto Juridico de Responsabilidad Patrimonial del Estado por Privacion de la Libertad en Mexico y Colombia.

Il Messico è un Paese composto da 32 Stati, è una repubblica federale multipartitica con un presidente eletto e una legislatura bicamerale; il governo federale rappresenta gli Stati Uniti Messicani ed è diviso in tre rami, esecutivo, legislativo e giudiziario, secondo la Costituzione Politica degli Stati Uniti Messicani del 1917. Di conseguenza, ha incorporato nell'ordinamento giuridico un meccanismo di responsabilità "oggettiva e diretta" a partire dal 2002, al fine di risarcire gli individui per i danni causati dall'attività amministrativa irregolare dello Stato, come risulta dal secondo comma dell'articolo 113 della Costituzione e dalla relativa legge di regolamentazione che mantiene alcune restrizioni nella sua applicazione; La responsabilità oggettiva deriva anche dall'attività svolta dal soggetto, mentre la responsabilità soggettiva deriva dalla condotta omissiva, tuttavia la Costituzione la qualifica come oggettiva e diretta, in base alla riforma dell'articolo 113 della Costituzione, in particolare con la responsabilità dello Stato per i danni causati nei beni e nei diritti degli individui. (Mosri Gutidrrez, 2015, p. 5).

Inoltre, con l'adozione del nuovo paradigma nel campo dei diritti umani da parte dello Stato messicano, la riforma costituzionale del 2011 indica la necessità di ripensarne l'applicazione e, dopo la pubblicazione della Legge Generale sulle Vittime nel 2013, offre agli individui misure di riparazione aggiuntive per i casi in cui abbiano subito danni o messo in pericolo i loro beni legali o i loro diritti come conseguenza della commissione di un crimine o di violazioni dei loro diritti umani.

Per quanto riguarda la riforma costituzionale (2011), i diritti umani elevano i trattati internazionali a rango costituzionale, questo perché l'inclusione della riparazione del danno nel primo articolo "si stabilisce come una linea guida fondamentale nel quadro dello studio e dell'analisi dei diritti" (Esparza Martinez, 2015). (Esparza Martinez, 2015). Da un lato, "stabilisce l'obbligo dello Stato di riparare i danni causati dalle violazioni dei diritti umani e, dall'altro, eleva i trattati internazionali a rango costituzionale" e obbliga il giudice a studiare e concettualizzare la riparazione del danno. (Mosri Gutidrrez, 2015, p. 6).

Di conseguenza, le sentenze emesse dalla Corte Interamericana dei Diritti Umani hanno condannato il Messico, come Gonzalez y Otras (Campo Algodonero) vs. Gonzalez y Otras (Campo Algodonero). Infatti, Mosri, Gutidrrez, (2015), afferma che negli ultimi sei anni, l'agenda pubblica promossa dalla società civile contro la violenza in Messico ha emanato la Legge Generale sulle Vittime, che riconosce e garantisce i diritti delle vittime di reati e di violazioni dei diritti umani e prevede anche misure di restituzione, riabilitazione, indennizzo, soddisfazione e garanzie di non ripetizione da parte dello Stato e a favore delle vittime, di conseguenza "coloro che accreditano nei termini della Legge, il danno o la perdita dei loro diritti nelle loro dimensioni individuali, collettive, materiali e morali, e di conseguenza che sono riparati in modo completo" (Mosri Gutidrrez, 2015, p. 9). 9), in congruenza con la riforma costituzionale del 2011 sui diritti umani, dimostra che il Messico ha riconosciuto la prevenzione, l'indagine, la punizione e la riparazione delle violazioni dei diritti umani nei termini della legge.

Chiapas

Di conseguenza, Castro Estrada, (2017), sottolinea che il diritto al risarcimento o alla riparazione è l'obbligo giuridico dello Stato di compensare le lesioni prodotte come conseguenza di un'attività amministrativa irregolare o dannosa nel patrimonio degli individui e che non hanno il dovere legale di sopportarlo, si chiama risarcimento.

Considerando quanto sopra, nello Stato del Chiapas, in Messico, situato nel sud del Paese, non si applica la Legge Generale sulle Vittime, sebbene sia necessario un regolamento interno per la sua applicazione, e quindi non esiste una legislazione a livello locale che regoli il diritto al risarcimento, dato questo problema "il danno causato alla proprietà e ai diritti degli individui da attività amministrative irregolari non è regolato" (Castro Estrada, 2017, p. 11). Allo stesso tempo, esiste una legge federale sulla responsabilità patrimoniale dello Stato che non prevede un regime applicabile allo Stato, e vale la pena ricordare che gli enti pubblici dello Stato del Chiapas non hanno competenza ai sensi della suddetta legge.

D'altra parte, la Costituzione Politica degli Stati Uniti Messicani all'articolo 113, secondo comma, riconosce il diritto degli individui di ottenere un equo indennizzo, "nel caso in cui lo Stato causi un danno ai loro beni, materiali o immateriali, come risultato di un'attività amministrativa irregolare dei suoi funzionari pubblici" (Castro Estrada, 2017, p. 17). 17), in modo tale che l'interpretazione sia considerata secondo il principio pro persona ai sensi del secondo comma dell'articolo 1 della Costituzione, e quando non esiste una legge dello Stato, questa viene applicata in modo suppletivo, perché non esiste una legislazione sulla responsabilità patrimoniale dello Stato.

Per quanto riguarda le persone che avviano una causa amministrativa per ottenere il diritto al risarcimento, incontrano limitazioni e ostacoli, a causa dell'atteggiamento omissivo degli amministratori della giustizia, che si dichiarano incompetenti, ci sono ritardi nella procedura, negano l'atto che viene reclamato, quindi non esiste una legislazione che garantisca il diritto al risarcimento, d'altra parte i media non fanno conoscere la situazione reale che queste persone presentano alla società, a causa del fatto che il governo influenza i media. Una volta esaurita ogni istanza interna, è possibile attivare meccanismi internazionali. In questa situazione nello Stato del Chiapas, in Messico, è necessario implementare modelli di protezione legale che garantiscano il diritto al risarcimento. Attualmente, esistono modelli sistematici di violazione dei diritti umani contro le vittime che sono state private della loro libertà a causa di attività amministrative irregolari, e di conseguenza si cerca di accedere alla giustizia per ottenere il diritto al risarcimento.

Colombia

Attualmente il Paese è costituito da un sistema presidenziale e da uno Stato unitario, mentre la Magna Charta (1991) stabilisce una divisione dei poteri tra esecutivo, legislativo e giudiziario; è inoltre organizzato territorialmente da dipartimenti, comuni e distretti principalmente. Altre divisioni speciali sono le province, le entità territoriali indigene e i territori collettivi.

Poi, dal 1991 con l'emanazione della Carta Politica e soprattutto con l'articolo 90, il concetto di "danno illecito" è alla base della responsabilità patrimoniale dello Stato, che ha fatto emergere una varietà di criteri, opinioni e teorie sul tipo o sul tipo di responsabilità che occupa la norma costituzionale, cioè quale sia il regime di responsabilità che l'articolo 90 della Carta Politica stabilisce.

In base a quanto detto, in primo luogo, la classificazione costituzionale colombiana si è basata su un principio generale di responsabilità contrattuale ed extracontrattuale dello Stato, e a questo proposito nella Magna Charta (1991), l'articolo 90 afferma che il governo deve rispondere per i danni illegittimi imputabili, vale a dire, senza fare distinzioni, ha aperto l'evento per esporre responsabilmente il mandato per i beni, "compreso il ramo giudiziario, per azioni o omissioni che causano danni agli individui" (Prato Ramirez, 2016). (Prato Ramirez, 2016). Inoltre, Gonzalez Noriega (2017) sottolinea che la base della responsabilità patrimoniale dello Stato si trova nell'articolo 90 della Magna Carta, sia che si tratti di responsabilità contrattuale che extracontrattuale.

Secondo la legislazione colombiana, in conformità con le disposizioni dello Statuto dell'Amministrazione della Giustizia, la Legge 270, (1996), afferma che dal suo articolo 65, è sancita la possibilità che il Giudice di Stato possa essere immerso nella responsabilità extracontrattuale, per l'esercizio delle sue funzioni, in tre modi diversi: i) persone ingiustamente private della libertà, ii) imputati condannati erroneamente e per l'errata applicazione della giustizia da parte degli amministratori del potere, "il che sottolinea l'entità normativa di questo titolo di imputazione". (Pinzon Munoz, 2016).

D'altra parte, la massima Corte del contenzioso amministrativo nella sua giurisprudenza ha delineato, per quanto riguarda le vicende in cui si discute della colpa del governo e del giudice, "un dogma che oggi è guidato, in termini generali, dalla teoria del danno speciale" (Pinzon Munoz, 2016, p. 184), ossia in base a una formula di imputazione oggettiva, essendo un'attività legittima svolta dagli organi statali che hanno il compito di perseguire la criminalità, a volte provoca danni che chi è amministrato non è tenuto a pagare. 184), cioè secondo una formula di imputazione oggettiva, essendo un'attività legittima svolta dagli organi statali che hanno il compito di perseguire la criminalità, a volte provoca danni che chi è amministrato non è tenuto a sopportare.

In base a quanto detto, "la Colombia ritiene che la responsabilità dello Stato per l'ingiusta privazione della libertà debba essere risarcita amministrativamente" (Prato Ramirez, 2016, p. 13), rispetto alla quale lo Stato ha promosso attraverso diversi organismi ed enti con l'obiettivo di raggiungere linee guida e riunire gli aspetti dell'ingiusta privazione della libertà e mitigare il pagamento di ingenti somme di denaro a titolo di risarcimento.

Nella sua tesi Prato Ramirez (2016) afferma che lo Stato colombiano deve attualmente affrontare innumerevoli cause amministrative di natura patrimoniale per casi di ingiusta privazione della libertà e "la debole politica penale e investigativa degli operatori giudiziari, che utilizza la detenzione preventiva come pena anticipata che porta a successive cause contro lo Stato". (Prato Ramirez, 2016, p. 14).

Secondo Gonzalez Noriega (2017), quando c'è una detenzione ingiusta c'è una responsabilità patrimoniale dello Stato, e spiega anche che la detenzione è ingiusta quando un individuo è stato privato della sua libertà e successivamente assolto, essendo questa una situazione di danno che non è legalmente obbligato a sopportare, Prato Ramirez, (2016), afferma inoltre che per una detenzione ingiusta non è necessario approfondire la legalità o l'illegalità della condotta dello Stato, ma è necessario esaminare la situazione in cui la vittima si trova ad aver subito una condanna ingiusta e ad averne ricavato un danno illegittimo attribuibile al governo.

3. **Privazione della libertà per responsabilità dello Stato e diritto al risarcimento negli strumenti e regolamenti internazionali in Messico e Colombia**

Messico

Dall'undici giugno duemilaundici, il Messico ha un nuovo testo costituzionale sui diritti umani che sono riconosciuti, protetti, rispettati e garantiti nell'ordinamento giuridico messicano e, in particolare, il diritto al risarcimento nella Convenzione Americana dei Diritti Umani, (1969), afferma che ognuno ha il diritto di essere risarcito secondo la legge nel caso in cui sia stato condannato; inoltre si basa sull'articolo 10, e negli "articoli 8 e 25 sono associati alle garanzie giudiziarie e alla protezione giudiziaria dei diritti umani" (Corte Interamericana dei Diritti Umani, 2017), questi due articoli si applicano a qualsiasi situazione in cui si determini il contenuto e la portata dei diritti di qualsiasi individuo soggetto alla giurisdizione dello Stato. (Corte interamericana dei diritti umani, 2017), questi due articoli si applicano a qualsiasi situazione in cui si determina il contenuto e la portata dei diritti di qualsiasi individuo soggetto alla giurisdizione dello Stato. Secondo il Patto internazionale sui diritti civili e politici, agli articoli 9 e 14, si fa riferimento alla libertà, alla sicurezza della persona e all'uguaglianza davanti a corti e tribunali (OSA, 2017).

D'altra parte, la Dichiarazione Universale dei Diritti Umani, agli articoli 1, 8 e 9, "sottolinea il diritto a un rimedio efficace davanti ai tribunali nazionali competenti per gli atti che violano i diritti fondamentali riconosciuti dalla Costituzione" (Nazioni Unite, 1965). Per quanto riguarda la Dichiarazione americana dei diritti e dei doveri dell'uomo, "l'articolo XVII afferma che ogni persona è riconosciuta come soggetto di diritti e doveri e gode dei diritti civili fondamentali" (OAS, 2017). (OAS, 2017).

Gli articoli 1, 14, 16, 17, 20 e 21 della Costituzione fanno riferimento al giusto processo, alla legalità e all'accesso alla giustizia, e l'articolo 113 stabilisce che la base della responsabilità patrimoniale dello Stato è oggettiva e diretta. Per quanto riguarda la Legge Federale sulla Responsabilità Patrimoniale dello Stato, essa regola il secondo paragrafo dell'articolo 113 della Costituzione, nella misura in cui gli enti pubblici sono soggetti a questa legge per il risarcimento dei danni, in effetti, questa legge si applica in aggiunta alle varie leggi amministrative, quindi il risarcimento per la responsabilità patrimoniale dello Stato deriva da un'attività amministrativa irregolare e gli importi del risarcimento, e per quanto riguarda la "procedura di reclamo Legge Federale sulla Responsabilità Patrimoniale dello Stato" (Departamento de Documentation Legislativa-SIID, 2014).

D'altra parte, la Legge generale sulle vittime fa riferimento al diritto delle vittime di violazioni dei diritti umani, e all'articolo 10, il diritto di accesso alla giustizia, si intende che le vittime hanno diritto a un ricorso giudiziario davanti alle autorità che garantisca loro l'esercizio dei propri diritti in modo rapido, proporzionale ed equo, Nell'articolo 12, sezione 11, le vittime godranno del diritto alla riparazione del danno, e poi nell'articolo 61, si fa riferimento alle misure di restituzione, cioè le vittime avranno diritto alla restituzione dei loro diritti violati, e l'articolo 73, sezione IV, fa riferimento alle scuse pubbliche.

Infine, fa riferimento al "Diritto della vittima o della persona offesa, il tipo di violazione qualificata, nel paragrafo successivo cita, h) Rifiuto, restrizione o impedimento a determinare e/o eseguire la riparazione del danno". (Catalago para la calificacion e investigacion de violacion a Derechos Humanos de la Comision Nacional de Derechos Humanos del Distrito Federal, 2017).

Colombia

Per quanto riguarda la questione oggetto di studio della responsabilità dello Stato, è necessario indicare che la Corte Costituzionale ha introdotto la nozione di blocco costituzionale, e che inoltre, per la prima volta nel 1995[16] la Costituzione colombiana, all'articolo 93, prevede che i trattati e le convenzioni internazionali ratificati dal Congresso riconoscano i diritti umani e ne vietino le limitazioni in stati di eccezione, e che prevalgano anche nell'ordinamento interno. I diritti e i doveri ivi sanciti sono interpretati in conformità con i trattati internazionali sui diritti umani conclusi dalla Colombia, secondo la Corte interamericana dei diritti umani del 1979.Di conseguenza, la Convenzione americana dei diritti dell'uomo, firmata a San Josd de Costa Rica il 22 novembre 1969 ed entrata in vigore nel 1978, essendo stata ratificata nel giugno 1973, che all'articolo 10 prevedeva che ognuno ha il diritto di essere risarcito secondo la legge nel caso in cui fosse stato condannato in via definitiva per errore giudiziario, dato che le norme di diritto internazionale possono essere integrate nell'ordinamento giuridico colombiano in tre modi: (i) con il rango costituzionale; (ii) con il rango sovralegale; o (iii) con il rango di legge. La regola generale è la Costituzione colombiana del 1991, e naturalmente il diritto internazionale acquisisce lo status di legge nell'ordinamento giuridico

---

2. Struttura e funzionamento del sistema giudiziario in Messico e Colombia

In primo luogo, per quanto riguarda il Messico, la struttura e la funzione della magistratura federale e della magistratura statale sono spiegate e divise in due perché si tratta di un Paese federato. Secondo la Costituzione (1917), ogni Stato ha la propria legislazione e la propria struttura, ossia i rami esecutivo, legislativo e giudiziario, ed è costituzionalmente responsabile dell'amministrazione della giustizia, che è regolata dai più alti principi che governano la condotta dei giudici: onestà, obiettività, imparzialità, indipendenza, professionalità e autonomia.

colombiano, a meno che la Costituzione non disponga diversamente.D'altra parte, il Patto internazionale sui diritti civili e politici è stato ratificato dalla Colombia il 29 ottobre 1969 ed è entrato in vigore il 23 marzo 1976; l'articolo 9, paragrafo 1, afferma che tutte le persone hanno diritto alla libertà e alla sicurezza, il che significa che nessuno può essere sottoposto a detenzione o imprigionamento arbitrario; e l'articolo 14 afferma che le persone sono uguali davanti alle corti e ai tribunali. In base a quanto sopra, la privazione della libertà può essere effettuata solo in conformità alle procedure previste dalla Costituzione o dalla Legge e costituisce una privazione illegale della libertà, vietata sia a livello nazionale che internazionale.

Di conseguenza, la Dichiarazione Universale dei Diritti Umani è stata adottata e pubblicata dall'Assemblea Generale con la risoluzione 217 A (III) del 10 dicembre 1948 e, in base agli articoli 1, 8 e 9, fa riferimento alla libertà, all'uguaglianza, ai diritti e ai rimedi effettivi davanti ai tribunali e al fatto che nessuno può essere detenuto, imprigionato o esiliato arbitrariamente. Inoltre, la "Convenzione europea dei diritti dell'uomo, all'articolo 5, fa riferimento a qualsiasi persona che sia vittima di detenzione preventiva e che si trovi in azioni contrarie alle disposizioni di questo articolo ha diritto a una riparazione" (Nazioni Unite, 1965). (Nazioni Unite, 1965) Secondo la Costituzione politica in vigore, all'articolo 90, lo Stato risponde patrimonialmente dei danni causati dall'azione o dall'omissione delle autorità pubbliche, così come la Costituzione colombiana la descrive come uno Stato sociale basato sul rispetto della dignità umana e, all'articolo due, menziona le autorità della Repubblica che sono responsabili dei danni causati dall'azione o dall'omissione delle autorità pubbliche, cita le autorità della Repubblica che sono designate a proteggere i residenti della Colombia, nella loro vita, proprietà e altri diritti e libertà, per assicurare il rispetto dello Stato e degli individui e per mantenere un equilibrio che garantisca la legge e la pace sociale, "si menziona anche che tutte le persone nascono libere e uguali davanti alla Carta, articolo 13" (Costituzione Politica Colombia). (D'altra parte, la Legge 270 del 1996 fa riferimento alla "responsabilità dello Stato e alla privazione ingiusta della libertà" (Estatuaria Administration de Justicia, Ley 270, 1996) e menziona che è stato stabilito il regime di responsabilità soggettiva che implicava la determinazione della privazione ingiusta con la quale il regime diventa oggettivo e infine il Codigo de Procedimiento Administrativo y de lo Contencioso Administrativo.

Capitolo 2

COMPETENZA GIUDIZIARIA DEL MESSICO E DELLA COLOMBIA trasparenza, questi principi consentono l'esercizio delle attribuzioni di ciascuno degli organi giurisdizionali e amministrativi che li compongono.

La struttura del sistema giudiziario federale, secondo la legislazione messicana del 1917, spiega che la Corte Suprema di Giustizia della Nazione è il tribunale più alto del Messico, e corrisponde anche a difendere l'ordine stabilito nella "Magna Carta di bilanciare i vari poteri e organi di governo e risolvere le questioni giudiziarie, attraverso risoluzioni giurisdizionali". (Revista Juridica de la Unam, 2013). Pertanto, essendo il principale e più alto tribunale di natura costituzionale, non c'è nessun organo o autorità al di sopra di esso che possa interporsi contro le decisioni della Magistratura federale, come viene spiegato in ciascuna delle sezioni e delle aree di cui dispone:

In particolare, si spiega che il "Consejo de la Judicatura Federal (Consiglio Federale della Magistratura) ha lo scopo di garantire l'amministrazione, la sorveglianza, la disciplina e la carriera giudiziaria, che consentono il funzionamento dei Tribunali Distrettuali e dei Tribunali di Circuito" (Revista Juridica Unam, 2013, p. 3). (Revista Juridica de la Unam, 2013, p. 3) Anche il Tribunale Elettorale; poi i Tribunali Collegiali di Circuito; anche i Tribunali Unitari di Circuito e, infine, aggiunge "i Tribunali Distrettuali, che sono responsabili della distribuzione della giustizia all'interno dell'entità federale". (Revista Juridica de la Unam, 2013, p. 5).

Il Potere Giudiziario della Federazione è regolato dall'articolo 94 della Costituzione e, in base a quanto detto, Garcia Ttilez (2016) sostiene che esso rappresenta la protezione dei diritti fondamentali e la base che risolve le controversie, tra gli individui e tra i poteri, per il libero sviluppo della nazione. D'altra parte, il ruolo principale che svolge è l'interpretazione dei principi e dei valori contenuti nella Magna Charta, e in questo senso è inteso come "controllo della regolarità costituzionale degli atti e delle disposizioni delle autorità, poiché è la Costituzione stessa a conferire la funzione di impartire giustizia". (Magistratura federale, 2016). Insomma, l'unico ramo giudiziario indipendente dai rami legislativo ed esecutivo non è governato da un unico organo, a differenza del ramo esecutivo, che è sotto il comando del presidente della repubblica, che è in capo al Congresso dell'Unione, è un organo di controllo, perché è quello che controlla le leggi e la giustizia della nazione.

L'organigramma della struttura della magistratura federale è presentato di seguito:

Diagramma 1, Magistratura federale del Messico

Fonte: Poder Judicial de Mdxico, 2017.

In sintesi, il ramo giudiziario dello Stato del Chiapas è composto come segue:

In primo luogo, la Corte Costituzionale, le Camere Collegiali Regionali, i Tribunali di primo grado, i Tribunali specializzati nella giustizia per gli adolescenti, i Tribunali di Pace e Conciliazione, i Tribunali Indigeni di Pace e Conciliazione, i Tribunali Municipali, il Centro Statale di Giustizia Alternativa e l'Istituto di Difesa Pubblica. D'altra parte, si fa riferimento alle facoltà, in relazione all'articolo 63 della Magna Charta dello Stato del Chiapas del XXI secolo, e al Codice di Organizzazione, che "si riferisce al fatto che è un organo di governo dei criteri giuridici di interpretazione e attribuzioni" (Tribunale Superiore di Giustizia dello Stato del Chiapas). (Tribunal Superior de Justicia del Estado de Chiapas, 1973).

Secondo la Costituzione del Chiapas, (2017), si spiega che l'esercizio delle attribuzioni è depositato in una Corte Superiore di Giustizia dello Stato, prima il Consiglio della Magistratura, la Corte di Giustizia Elettorale e Amministrativa, e infine la Corte del Lavoro Burocratico, Le particolarità della sua organizzazione e del suo svolgimento sono previste dal Codice di Organizzazione della Magistratura, nonché dai Regolamenti interni esistenti per ciascuno dei suoi organi, pertanto l'Alta Corte di Giustizia dello Stato è guidata principalmente da un magistrato presidente, che è anche il capo della Magistratura dello Stato.

(Tribunal Superior de Justicia del Estado de Chiapas, 1973, p. 2). La Costituzione Politica dello Stato (2017) afferma inoltre che il Potere Giudiziario esercita le sue attribuzioni in modo indipendente rispetto agli altri poteri e organi pubblici dello Stato, con i quali mantiene relazioni di coordinamento ai sensi dell'articolo 14 della Costituzione del Chiapas, così come i Magistrati e i Giudici godono di piena autonomia e indipendenza nelle loro decisioni.

Colombia

La Costituzione (1991) afferma che gli amministratori dell'imparzialità sono la Corte Costituzionale, la Corte Suprema di Giustizia, il Consiglio di Stato, il Consiglio Superiore della Magistratura, il Procuratore Generale della Nazione, i Tribunali e i Giudici, che costituiscono il ramo giudiziario del potere pubblico.[17]

La legge 270 (1996), poi, menziona anche lo sviluppo di queste e altre norme costituzionali che si riferiscono all'amministrazione della giustizia, mentre la legge statutaria sull'amministrazione della giustizia, all'articolo 11, afferma che il ramo giudiziario è composto dalle seguenti giurisdizioni e organismi:

1. In primo luogo, la Costituzione colombiana (1991) indica che la Giurisdizione comune o ordinaria è costituita dalla Corte Suprema di Giustizia, dai tribunali superiori del Distretto giudiziario e dai tribunali civili, del lavoro, penali, agrari, familiari e altri tribunali specializzati e promiscui.

2. Pertanto, la Costituzione politica illustra la Giurisdizione costituzionale, che ha il compito di garantire l'integrità e la supremazia della Costituzione e che delinea anche l'integrazione e il funzionamento della Corte costituzionale.

3. Poi, la giurisdizione di pace, che è composta dai giudici di pace, dichiara di essere composta dai giudici di pace.

4. Allo stesso modo, la Costituzione politica (1991) sostiene la creazione della Procura generale.

5. Infine, la Costituzione politica (1991) spiega le funzioni della Giurisdizione amministrativa contenziosa, che fa parte del Consiglio di Stato e del Consiglio di Stato.

---

[17] La Fiscalia General de la Nacion è un ente centralizzato a livello nazionale e parte del ramo giudiziario del Potere Pubblico in Colombia, creato dalla Costituzione del 1991, per l'investigazione dei crimini e il perseguimento dei presunti colpevoli davanti ai giudici competenti.

Tribunali Amministrativi e Tribunali Amministrativi incaricati di risolvere le controversie della Pubblica Amministrazione, ai sensi dell'articolo 104 del Codice di Procedura Amministrativa e del Contenzioso Amministrativo, nella misura in cui stabilisce di giudicare controversie originate da atti e fatti amministrativi di enti pubblici.

Secondo Rodriguez (1997), egli aggiunge che il Consiglio di Stato è la corte suprema e fa riferimento all'articolo 237 della Costituzione sulle attribuzioni del Consiglio di Stato e afferma quanto segue:

1. I tribunali amministrativi sono creati dalla Camera amministrativa del Consiglio superiore della magistratura in ogni distretto giudiziario amministrativo.
2. Per quanto riguarda i tribunali amministrativi, essi sono stabiliti dalla Camera Amministrativa del Consiglio Superiore della Magistratura, ai sensi dell'articolo 197 della Legge Statutaria, e la competenza dei giudici è stabilita dal Codice di Procedura Amministrativa e delle Controversie Amministrative.

In base a quanto detto, possiamo esprimere graficamente la struttura del ramo giudiziario del potere pubblico attraverso il seguente organigramma:

Diagramma 2, ramo giudiziario della Colombia

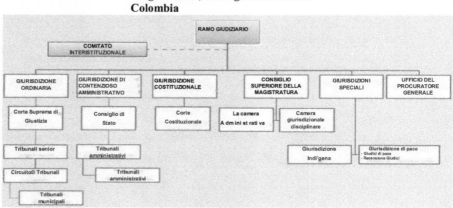

FonteJudicatura, 2017 della Colombia.

2.1 Regime applicabile alla responsabilità dello Stato in Messico e Colombia.

Messico

Innanzitutto, Mosri, OнEëre/, (2015), sottolinea i regimi di responsabilità dello Stato previsti dalla riforma dell'articolo 113 della Costituzione, che ha dato vita alla Legge federale sulla responsabilità dello Stato, fermo restando che il sistema di responsabilità dello Stato in Messico è ancora oggi pienamente in vigore a livello federale a beneficio dei messicani, non applicabile agli Stati federali, ma solo di competenza federale. Allo stesso modo, Mosri Gutiërrez (2015) afferma che dal 2002 la responsabilità patrimoniale dello Stato per l'attività amministrativa irregolare è stata incorporata nel sistema giuridico di responsabilità oggettiva e diretta per il risarcimento dei danni causati dall'attività amministrativa irregolare dello Stato nel secondo comma dell'articolo 113 della Costituzione e nella Legge federale di responsabilità patrimoniale dello Stato (Ley Federal de Responsabilidad Patrimonial del Estado).

D'altra parte, esistono altre modalità di riparazione del danno che, a partire dalla pubblicazione della Legge Generale sulle Vittime nel 2013, aggiunge ulteriori misure di riparazione per i casi in cui le vittime abbiano subito un danno o una messa in pericolo dei loro beni giuridici o dei loro diritti come conseguenza della commissione di un reato o di violazioni dei loro diritti umani, Allo stesso modo, l'iniziativa della Legge Generale sulle Vittime riconosce come indispensabile che la "Legge coordini i meccanismi e le misure necessarie per promuovere, rispettare, proteggere, garantire e consentire l'effettivo esercizio dei diritti delle vittime, attraverso il collegamento di tutte le autorità nell'ambito delle loro diverse competenze" (Ley General de Victimas, 2013).

A questo proposito, il Sistema nazionale di attenzione alle vittime è stato creato dalla Commissione esecutiva per l'attenzione alle vittime, che è un organo decentrato che consente allo Stato di fornire una riparazione completa a coloro che possono dimostrare la loro condizione di vittime a seguito della commissione di un crimine o di una violazione dei diritti umani attraverso "cinque tipi di misure coerenti con i criteri della Corte interamericana dei diritti umani, e rispetto al danno e alla sua forma di riparazione, restituzione, riabilitazione, compensazione, soddisfazione e non ripetizione" (Comisión Ejecutiva de Atencion a Victimas, 2013). (Comisión Ejecutiva de Atencion a Victimas, 2013). Inoltre, la Legge generale sulle vittime (2013) spiega che le parti interessate devono innanzitutto dimostrare di aver subito uno dei danni indicati nella legge, danni economici, fisici, mentali o emotivi, così come qualsiasi lesione a beni o diritti legali come risultato della commissione di un crimine o di violazioni dei diritti umani, riconosciuti dalla Costituzione e dai trattati internazionali di cui il Messico è parte.

D'altra parte, tale legge è applicabile all'ambito federale, ma si applica agli Stati del Paese, per cui "è necessaria una legge di regolamentazione per ogni Stato per applicare la relativa legge" (Mosri Gutidrrez, 2015), così come si nota il risarcimento completo previsto nella Legge Generale sulle Vittime, che incorpora meccanismi aggiuntivi alla riparazione integrale del danno descritto nell'articolo 12 della Legge Federale sulla Responsabilità Patrimoniale dello Stato, in attenzione ai beni giuridici che sono stati violati nella commissione di un crimine o nella violazione dei diritti umani, che indicano i danni materiali, personali e morali di cui alla Legge Regolatrice del secondo comma dell'articolo 113 della Costituzione; e "a partire dalla riforma del 2015, ha dato vita al Sistema Nazionale Anticorruzione, che è stato incorporato anche nell'ultimo comma dell'articolo 109 della Costituzione" (Mosri Gutidrrez, 2015).

Da un lato, Mosri Gutidrrez (2015) spiega che in base alla riforma dell'articolo 113 della Costituzione e alla Legge Federale sulla Responsabilità Patrimoniale dello Stato, lo Stato risponderà patrimonialmente solo per i danni causati da un'attività amministrativa irregolare e non per qualsiasi danno, come indicato dalla teoria della responsabilità oggettiva.

Allo stesso modo, la Legge Federale sulla Responsabilità Patrimoniale dello Stato è stata pubblicata nella Gazzetta Ufficiale della Federazione il 31 dicembre 2004, e in quell'occasione ha definito come attività amministrativa irregolare quella che provoca un danno ai beni e ai diritti di individui che non hanno l'obbligo giuridico di sopportarlo, in virtù "dell'inesistenza di una base giuridica che legittimi il danno in questione" (Castro Estrada, 2017), vale a dire che la responsabilità patrimoniale dello Stato è diretta e non è necessario provare la colpa o il dolo dei funzionari pubblici che hanno eseguito l'atto dannoso per richiedere il risarcimento, sebbene l'articolo 18 della Legge Federale sulla Responsabilità Patrimoniale dello Stato preveda che i singoli individui nella loro richiesta di risarcimento debbano identificare i funzionari pubblici coinvolti nell'attività amministrativa irregolare.

Castro Estrada (2017) aggiunge anche le caratteristiche principali della Legge federale sulla responsabilità patrimoniale dello Stato:

1. In primo luogo, si tratta di una legge federale che disciplina il secondo comma dell'articolo 113 della Costituzione, e quindi non è applicabile a livello federale.
2. Si tratta inoltre di un regime generale che si riferisce a qualsiasi attività amministrativa irregolare dello Stato di natura giuridica per azione o omissione; la legge stabilisce inoltre che tutti gli enti pubblici federali, compresi il sistema giudiziario, i rami legislativo ed esecutivo della federazione e gli organi costituzionali autonomi, sono soggetti ad esso.
3. Si tratta quindi di un regime di responsabilità diretta che supera le altre responsabilità sussidiarie e solidali di natura civile.
4. Infine, Castro Estrada (2017) sostiene che si tratta di un regime di responsabilità oggettiva

che prescinde dall'idea di colpa, per cui non sarà necessario provare la colpa o la negligenza per ottenere il risarcimento, ma solo la realtà di un danno o di una lesione attribuibile all'ente pubblico federale in questione.

Per quanto riguarda la responsabilità dello Stato Castro Estrada, (2017), fa riferimento al secondo paragrafo della Costituzione 113 e alla Legge Federale di Responsabilità Patrimoniale dello Stato, che si limita alle questioni amministrative e agli atti materialmente amministrativi e procede solo quando questa attività amministrativa è stata dispiegata in violazione della Legge, poi l'articolo 4 della Legge Federale di Responsabilità Patrimoniale dello Stato fa riferimento alla richiesta di risarcimento e si definisce nei seguenti presupposti: In primo luogo, l'esistenza dell'atto dannoso, in secondo luogo, i danni materiali, personali e/o morali richiesti sono quantificabili o valutabili in denaro e infine Mosri Gutidrrez, (2015), sostiene che i danni sono direttamente collegati a una o più persone e che sono ineguali a quelli che potrebbero colpire la popolazione.

Questi non sono gli unici elementi che devono essere considerati per determinare se il risarcimento è dovuto ai sensi della Legge federale sulla responsabilità patrimoniale dello Stato, ma anche l'esistenza di un rapporto causale tra l'attività amministrativa e la lesione prodotta e l'irregolarità dell'attività amministrativa dannosa devono essere debitamente accreditati.

Secondo Mosri Gutidrrez (2015), aggiunge che la Legge Federale sulla Responsabilità Patrimoniale dello Stato dovrebbe indirizzare la richiesta di risarcimento in un primo momento, all'autorità a cui è imputato l'atto dannoso, e una volta che quest'ultima nega il risarcimento o concede un importo che il querelante ritiene insufficiente a compensare il danno subito e può presentare un ricorso per la revisione, o rivolgersi al Tribunale Federale di Giustizia Fiscale e Amministrativa per analizzare la risposta dell'autorità coinvolta e questa risolvere.

D'altra parte, è importante sottolineare la spiegazione fatta da Mosri Gutidrrez, (2015), sulla modifica dell'articolo 113 della Costituzione e della Legge Regolatrice che danno origine al regime di responsabilità, e che sono state adottate dal legislatore prima della riforma della Costituzione sui diritti umani con la quale è stato incorporato il principio pro personae e che in precedenza non considerava i criteri emessi dalla Corte Interamericana dei Diritti Umani, che rende il regime di riparazione la Legge Generale sulle Vittime.

Colombia

Per quanto riguarda l'ingiusta privazione della libertà Gonzalez Noriega (2017), afferma che era regolata nelle nozioni di responsabilità civile (...) prima della Costituzione politica del 1991, e fa riferimento alle raccomandazioni della giurisprudenza di procedura penale.

Allo stesso modo, il Decreto 2700 del 1991, questa legge sottolinea la colpevolezza del governo per le azioni e le omissioni amministrative delle persone che sono state private della loro libertà. Al contrario, Guerrero & Merchan, (2013), ritengono che sorga un conflitto per specificare il concetto di illegalità nella mancanza di legalità, a differenza del "Derecho Contencioso Administrativo" (Diritto Amministrativo Contenzioso), che sottolinea questa nozione presente nella Costituzione, articolo 90, e nella legge 270 del 1996 (Agencia Nacional de Defensa Juridica del Estado, 2013). La simulazione del libero arbitrio è il pilastro principale dei diritti fondamentali sanciti dall'attuale Costituzione politica.

Secondo l'Agenzia Nazionale per la Difesa Giuridica dello Stato (2013), nel tenore dei procedimenti penali ci sono ancora azioni e omissioni irregolari da parte degli amministratori e degli operatori della giustizia che generano colpa per il governo, fermo restando che le autorità amministrative e giudiziarie, in particolare la Polizia Nazionale.

Per essere più chiari, la privazione della libertà secondo la legislazione processuale penale è classificata come segue:

In primo luogo, la cattura, cioè l'autorità giudiziaria emette un mandato d'arresto per l'individuo per assistere al procedimento penale, in secondo luogo, la cattura in flagranza, cioè l'arresto del colpevole da parte degli agenti al momento della missione criminale[18] . (Agencia Nacional de Defensa Juridica del Estado, 2013, p. 13).

Da questo punto di vista, le situazioni di privazione con incidenza hanno riferimento nel contesto del diritto amministrativo e sono le seguenti:

1. In primo luogo, oggettivamente e legittimamente un mandato d'arresto autorizzato, fermo restando che questa origine non crea colpevolezza per il governo.
2. In secondo luogo, è illegale quando un mandato d'arresto non viene eseguito in conformità alla legge e crea una colpa per il governo.
3. In terzo luogo, l'illegalità genera colpevolezza per il governo e non prova gli elementi del processo. Le azioni e le omissioni causano danni alla proprietà di una persona accusata di innocenza.
4. In quarto luogo, dal punto di vista legale, gli agenti e i pubblici ministeri hanno l'onere di tutelare l'osservanza degli obblighi di legge, ma l'imputato viene assolto (Agencia Nacional de Defensa Juridica del Estado, 2013, p. 14).

---

[18] Nel frattempo, l'arresto non viene eseguito nel rispetto dei diritti fondamentali e del giusto processo. La procedura penale combina l'arresto e la privazione della libertà sotto il titolo di detenzione preventiva.

I decreti della 4007 del 1970, non avevano una base chiara per definire la responsabilità del governo quando la persona è privata della sua libertà, era prima della Costituzione del 1991, (...) e con l'attuale spedizione, mostra un quadro chiaro e in riferimento all'articolo 90, permette una base per il danno da azioni e omissioni degli amministratori della giustizia. (Agencia Nacional de Defensa Juridica del Estado, 2013, p. 17).

Tra l'altro, con la nuova Costituzione del 1991, lo Stato riconosce senza discriminazioni i diritti fondamentali delle persone in qualsiasi situazione di violazione dei diritti umani imputabile alle autorità pubbliche. "Sempre con questa nuova era, è stato necessario riformare il Codice di Procedura Penale, nel sistema di libertà basato sulla colpevolezza dello Stato per ingiusta privazione, che viene successivamente assolto con sentenza di proscioglimento". (Agencia Nacional de Defensa Juridica del Estado, 2013, p. 18).

Allo stesso modo, la Legge Statutaria dell'Amministrazione è stata sancita per accusare il governo di colpevolezza per le azioni e le omissioni dei funzionari pubblici, "il governo deve rispondere del funzionamento difettoso dell'amministrazione della giustizia, dell'errore giurisdizionale e dell'ingiusta privazione della libertà". (Agencia Nacional de Defensa Juridica del Estado, 2013, p. 19).

In sintesi, la Corte Costituzionale ha preso in considerazione l'idea dell'ingiustizia della detenzione nella sentenza C-037 del 1996, e ha fatto riferimento agli articoli 6, 28, 29 e 90 della Costituzione, spiegando che il termine ingiustamente descrive un'azione o un'omissione che viola i processi legali (Agencia Nacional de Defensa Juridica del Estado, 2013, p. 20), "la privazione della libertà, non è stata motivata in conformità con la legge, quando si applica la norma le circostanze che hanno prodotto la detenzione devono essere considerate all'interno dei parametri delle circostanze che hanno prodotto la detenzione".

La Costituzione politica (1991), in termini di articolo 90, considerava l'ingiusto come colui che non è obbligato a sopportare il danno e non dovrebbe essere provato ciò che è arbitrario, in quanto illegale, Prato Ramirez (2016), afferma che l'ingiusto è considerato uno studio approfondito del giudice quando un atto è esposto come ingiusto, poiché nell'atto illegale deve fare un confronto con la Legge, a differenza dell'ingiusto ha un altro tipo di valutazione.

D'altra parte, la concezione tradizionale della responsabilità è l'obbligo di riparazione e si basa non sul danno, ma sulla colpa (errore di condotta, imprudenza, mancata previsione del prevedibile), e se l'obbligo di riparazione si basa sull'errore, tale errore deve essere trasferito allo Stato, come si legge nella relazione, nella misura in cui l'erogazione di un servizio pubblico avviene nell'esercizio della funzione giurisdizionale pubblica e comporta un danno giuridico che deve essere corretto e sanzionato, il risultato è stato dichiarato iniquo nella sentenza C-037-1996 della Corte Costituzionale.

2.3 CONSIGLIO DI STATO

La colpevolezza del governo deriva dalla persona privata della libertà, Hector, (2006), afferma che non ha una posizione uniforme e, di conseguenza, sono state sviluppate quattro forme diverse, come segue:

1. In prima istanza, la sentenza ha sostenuto la colpevolezza del governo per averla privata della libertà e ha argomentato in violazione della sentenza giudiziaria, per cui il dovere del giudice è quello di seguire la legge nelle diverse circostanze del caso, nella misura in cui lo studio del giudice o del magistrato è stato considerato irrilevante, vale a dire che non era di interesse scoprire se avesse agito con colpa o dolo.

Secondo il primo momento della sentenza Prato Ramirez, (2016), ritengo che il regime si sviluppi nella responsabilità soggettiva, e che la responsabilità dello Stato sia avallata sotto il titolo di inadempimento nella prestazione del servizio e richieda un errore giudiziario, come segue:

2. In secondo luogo, Prato Ramirez (2016) spiega che l'attore deve dimostrare l'onere procedurale per ottenere il diritto al risarcimento dei danni, è necessario provare l'esistenza di un errore da parte dell'autorità giurisdizionale nel disporre la misura di privazione della libertà e la legge indica una detenzione ingiusta, che ha confrontato la responsabilità oggettiva che non era necessario provare l'esistenza di un fallimento del servizio, dato che lo Stato ha l'obbligo di riparare il danno causato.

In base al secondo momento, la sentenza preferisce il modello della responsabilità oggettiva o del danno speciale.

3. In terzo momento, Prato Ramirez, (2016), spiega che il Consiglio di Stato ha ritenuto il profilo ingiusto di tre casi di detenzione localizzata (...) e la petizione ha detto in uno qualsiasi dei tre approcci stabiliti nel criterio; e la privazione della libertà che meritava o non in errore giudiziario implica la responsabilità dello Stato e non è l'illegalità del comportamento del soggetto di Stato, ma l'illegalità del danno subito dalla vittima e non ha l'obbligo giuridico di sostenere.[19]

---

[19]Anche il Consiglio di Stato nella Terza Sezione, fascicolo n. 13.606, espressa nella seconda tesi giurisprudenziale sulla responsabilità dello Stato causata nella detenzione preventiva e considerata oggettiva, e per quanto riguarda la condotta imputata che ha tenuto la persona privata della libertà e che successivamente è stata rilasciata da una decisione dell'autorità

Per quanto riguarda il terzo momento, insomma, che attraverso la sentenza l'individuo viene dimesso e viene considerato perché non c'erano elementi e il giudice deve segnalarlo allo Stato.

In riferimento alle sentenze analizzate, il Consiglio di Stato attribuisce elementi al Decreto 2700 del 1991, il governo ha il dovere di rispondere dei danni che successivamente derivano da un'assoluzione. Anche il "Consejo de Estado nella sua giurisprudenza ha ampliato le questioni per stabilire che lo Stato sarà responsabile nei casi di assoluzione in dubio pro reo" (Guerrero & Merchan, 2013). (Guerrero & Merchan, 2013, p. 22).

Secondo Guerrero e Merchan (2013), questa linea giurisprudenziale dimostra che ai pubblici ministeri e ai giudici viene attribuita la legalità durante tutto il processo.

4. In quarto momento, Prato Ramirez, (2016), cita che la Camera del Consiglio di Stato ha ampliato l'attitudine ad argomentare la colpevolezza del governo per i fatti di detenzione preventiva, e diretta dall'autorità di competenza e secondo il titolo oggettivo di imputazione provoca all'individuo un danno illecito e lo stesso deriva dall'applicazione nell'ambito del processo penale (...) in modo che sia il risultato dell'attività investigativa dell'autorità competente....) in modo che sia il risultato dell'attività investigativa dell'autorità competente, ciò che è certo è che se l'imputato non viene condannato, viene riconosciuto l'obbligo dello Stato di risarcire i danni all'individuo.

Il Consiglio di Stato nella sua giurisprudenza ha unificato la sentenza nella Terza Sezione. Dossier. 23.354 del 2003, confermando la tesi della responsabilità oggettiva in materia di ingiusta privazione della libertà, separando l'opinione del giudice costituzionale e attenendosi ad una responsabilità di garanzia dei diritti umani, la suddetta posizione che il Consiglio di Stato ha assunto equivale all'articolo 90 della Costituzione Pohtica.

Secondo la Corte Costituzionale e il Consiglio di Stato nella sua giurisprudenza afferma che la privazione della libertà esiste un legame con il fondamento della responsabilità dello Stato, quindi è qualificata come un danno antigiuridico subito, poi Prato Ramirez, (2016), sostiene che non può essere altrimenti, dal momento che l'articolo 90 della Costituzione politica afferma due corporazioni.

2. 4 REGIME DI RESPONSABILITÀ NEI TITOLI A IMPUTAZIONE SOGGETTIVA E OGGETTIVA

Per cominciare, in Colombia esistono regimi di responsabilità extracontrattuale dello Stato, di responsabilità oggettiva e di responsabilità soggettiva, che si differenziano per l'imputazione del danno. Rivera Villegas (2003) spiega che un regime di responsabilità è un insieme di regole che

---

competente, fonda il fatto non avvenuto, ovvero non imputabile senza la necessità di valutare la condotta del giudice o dell'autorità che ha disposto la detenzione, è tratta dalla Sentenza del 14 marzo 2002, fasc. 12.076.

determina la responsabilità dello Stato.

La giurisprudenza ha espresso due regimi per considerare la responsabilità dello Stato, primo regime di responsabilità soggettiva, considera l'inadempimento dell'amministrazione un elemento definitivo per ottenere il risarcimento, cioè è necessaria la prova dell'inadempimento dell'amministrazione, altrimenti la responsabilità dello Stato non sarà dichiarata, e in caso contrario non si ha diritto al risarcimento, quindi questo regime di responsabilità soggettiva appartiene al titolo dell'imputazione provata dell'inadempimento, in virtù del quale la vittima deve dimostrare che c'è stato un inadempimento del servizio, una lesione e il nesso di causalità tra i due, per provare il danno e richiedere il diritto al risarcimento.

Inoltre, il Consiglio di Stato fa riferimento ai titoli di imputazione per attribuire la responsabilità extracontrattuale allo Stato, e analizza due sfere, ossia l'ambito fattuale e l'imputazione giuridica, nella misura in cui determina l'attribuzione di un dovere giuridico che agisce secondo i diversi titoli di imputazione della Camera. È quindi necessario prendere in considerazione gli aspetti della teoria dell'imputazione oggettiva della responsabilità dello Stato, poiché il regime di responsabilità dello Stato richiede l'adozione del principio di imputabilità; attualmente, la tendenza della responsabilità dello Stato è caratterizzata dall'imputazione oggettiva, Il secondo regime di responsabilità si riferisce alla responsabilità oggettiva e parte dal presupposto che fornisce un'ampia tutela dei diritti umani agli individui che devono provare il danno e il nesso di causalità per ottenere il diritto al risarcimento del danno; in questo regime non è importante conoscere la condotta dello Stato.

Quindi, la principale differenza tra i due titoli, spiega Prato Ramirez, (2016), risiede nei titoli soggettivi ed è necessario considerare la colpa per attribuire la responsabilità, mentre nei regimi oggettivi si esamina solo a chi attribuire il danno e la possibilità di generare la responsabilità dello Stato.

2.4.1 RUBRICHE DI IMPUTAZIONE SOGGETTIVA

D'altra parte, Hector (2006) si riferisce al concetto di violazione di un contenuto obbligatorio in capo allo Stato, in altre parole la responsabilità soggettiva assume due modalità, l'inadempimento provato o ordinario del servizio e l'inadempimento presunto, in quanto ha origine in un'omissione o in una colpa dell'agente o in un funzionamento difettoso del servizio che causa il danno, e l'obbligo di risarcimento sorge per lo Stato e per il funzionario con carattere solidale. Allo stesso modo, Prato Ramirez (2016) descrive il regime di responsabilità soggettiva e considera la condotta dello Stato per determinare la sua responsabilità, e afferma solo la colpa nell'attuazione dello Stato, a differenza di Hector (2006), determina che l'unico titolo di imputazione della responsabilità è soggetto alle regole del regime di responsabilità, in effetti è l'inadempimento del servizio, che questo titolo indica una condotta difettosa dello Stato.

Fallimenti del servizio

In relazione alle fonti di responsabilità dello Stato, Prato Ramirez (2006) ritiene che la teoria dell'inadempimento del servizio sia il principale titolo giuridico per trasferire la responsabilità dello Stato sulla base della colpa, e che l'inadempimento del servizio corrisponda al regime di responsabilità soggettiva, e dato che la base fondamentale per attribuire la responsabilità allo Stato è la colpa dell'amministrazione per azione o omissione.

Allo stesso modo Hector, (2006), sottolinea che l'evento dannoso causato dalla violazione del contenuto obbligatorio in capo allo Stato deriva da leggi, regolamenti o statuti che generano obblighi e doveri per lo Stato, mentre nella Costituzione politica l'articolo due comma due stabilisce che le autorità della Repubblica sono istituite per proteggere tutte le persone che risiedono in Colombia per garantire l'adempimento dei doveri sociali dello Stato e dei privati.

D'altra parte, nel regime di responsabilità soggettiva esistono due forme, la prima delle quali era il comprovato inadempimento del servizio, vale a dire che la parte lesa doveva dimostrare l'esistenza di un inadempimento del servizio, di una lesione e del nesso causale tra entrambi, "per obbligare lo Stato e ottenere così il diritto al risarcimento" (Prato Ramirez, 2016, p. 53), altrimenti l'individuo non ha diritto al risarcimento, e il Consiglio di Stato ha ritenuto che questo sia il caso.

Nasce anche nella giurisprudenza francese come criterio di attribuzione delle competenze, in quanto in quel Paese la giurisdizione amministrativa e quella ordinaria si contendevano la conoscenza delle cause intentate contro gli enti pubblici. Il fallimento del servizio viene identificato, quindi, come l'idea di mancato, cattivo o ritardato funzionamento dell'amministrazione, così come inteso dalla dottrina classica (Pinzon Munoz, 2016, p. 138). Il fallimento concreto del servizio pubblico si basa sulla determinazione della titolarità amministrativa dell'attività o del servizio che produce il danno.

2.4.2 RIGOROSO REGIME DI RESPONSABILITÀ

Per quanto riguarda questo tipo di responsabilità, Rivera Villegas (2003) aggiunge che essa si applica solo a una persona o a un gruppo specifico che ha subito un danno, poiché esso è subito dagli amministratori e questi non hanno diritto a un indennizzo, e sottolinea anche i principali campi di applicazione della responsabilità, che sono i danni speciali, il rischio eccezionale, l'espropriazione e l'occupazione di proprietà in caso di guerra.

D'altra parte, Prato Ramirez (2016) spiega che la responsabilità senza colpa è un regime che non considera la condotta dello Stato per determinare la sua responsabilità, in altre parole, la condotta dello Stato non è l'oggetto di studio del regime di responsabilità, dato che la condotta irregolare dello Stato non è necessaria per configurare la responsabilità dello Stato. Di conseguenza, Pinzon Munoz (2016) aggiunge che la responsabilità oggettiva si riferisce all'esclusione della colpa dalla responsabilità, cioè l'esclusione dell'inadempimento del servizio attribuisce la responsabilità allo Stato in un regime di responsabilità oggettiva, in effetti l'attore deve solo provare l'esistenza del danno e il nesso causale con il fatto dell'amministrazione, Infatti, l'attore deve solo provare l'esistenza del danno e il nesso di causalità con il fatto dell'amministrazione, e al contrario lo Stato deve provare di aver agito con diligenza e cura, non essendo sufficiente, e può essere sollevato dalla responsabilità dimostrando il verificarsi di una causa estranea, anche il Consiglio di Stato sottolinea nella giurisprudenza in tema di responsabilità oggettiva che si sono sviluppati diversi regimi di responsabilità.[20]

Danno speciale

A un terzo livello, "la giurisprudenza del Consiglio di Stato ammette che l'attività legittima genera un danno che gli individui non sono obbligati a sopportare, una situazione della teoria tradizionale del fallimento, e considera la violazione degli oneri pubblici un danno speciale" (Pinzon Munoz, 2016, p. 146). Allo stesso modo, il Consiglio di Stato fa riferimento al danno speciale, e menziona quello che condanna il soggetto amministrato nello sviluppo di un'attuazione legittima dello Stato finalizzata alla legalità, dato che il soggetto attivo ha diritto al risarcimento.

Inoltre, si trova come referente normativo le concezioni dogmatiche e sostanziali che sono state concepite nella Carta Politica del 1991, "la dignità umana articolo 1°, la prevalenza dei diritti fondamentali articolo 5°, e il principio di responsabilità sociale e di solidarietà tra gli altri", (Gomez Sierra, 2010). 5°, e il principio di responsabilità sociale e solidarietà tra gli altri", (Gomez Sierra, 2010), questo regime è considerato responsabilità per violazione dell'uguaglianza, prima dell'accusa pubblica o teoria del danno speciale, e per Gomez Sierra, (2010), spiega che si basa su principi di uguaglianza, e ritiene che lo Stato generi un danno a un particolare, e quindi è obbligato ad accettare l'accusa pubblica, vale a dire che chi subisce il danno ha diritto a ottenere il risarcimento. D'altra parte, Pinzon Munoz (2016) afferma che questo regime di responsabilità si oppone al titolo di colpa provata, altrimenti non è necessario che lo Stato abbia agito con qualche difetto, e che la sua azione sia legittima, tuttavia genera danni che non sono nell'obbligo di sopportare e devono essere risarciti dallo Stato, Questo aspetto è aperto in Colombia e permette di rafforzarne lo sviluppo in modo primordiale, in quanto l'imputazione non solo obbedisce al criterio di causalità, ma da una spiegazione

---

[20] Inoltre, la responsabilità oggettiva senza colpa o per il normale funzionamento come fonte di responsabilità dello Stato implementa il regime soggettivo in Colombia. Questo titolo di imputazione è utilizzato per proteggere situazioni in cui l'azione dello Stato è legittima, ma genera un danno antigiuridico agli individui.

normativa e giuridica sotto una nozione di teoria dell'imputazione oggettiva.

2,5 SOMMA DELLE CENSURE NELLE SENTENZE CONTRO LO STATO

Per quanto riguarda i danni patrimoniali o materiali, Prato Ramirez (2016) aggiunge che essi sono classificati come danni conseguenti e perdita di profitto, mentre per quanto riguarda i danni non patrimoniali essi sono classificati come danni morali, che se è vero che il danno alla salute, il danno psicologico e altri diritti o interessi costituzionali legittimi che sono giuridicamente protetti non sono inclusi nel concetto di danno corporale o di danno all'integrità psicofisica e meritano il diritto al risarcimento.

Risarcimento per lesioni

D'altra parte, Pinzon Munoz (2016) sottolinea un principio giuridico secondo cui tutti i danni devono essere risarciti, e si riferisce solo ai danni, questa considerazione è necessaria nello studio dei danni causati all'individuo, in quanto la persona privata della libertà è considerata un danno, Prato Ramirez, (2016), spiega che per ottenere il diritto al risarcimento, il danno illecito deve essere illegittimo, ledere un diritto, e la sua realtà deve essere provata.

1. Danno emergente

Secondo Marino Camacho (2014), definisce come danno emergente tutte le spese sostenute a seguito di un evento specifico che ha danneggiato la vittima, ossia le spese economiche, i beni e i servizi apprezzabili che hanno lasciato il patrimonio a causa del danno causato. Pertanto, Rivera Villegas (2003) si riferisce al danno emergente che deve soddisfare l'onere procedurale della prova e presentare diversi tipi di danno.

2. Profitto mancato

Secondo il Codice Civile della Colombia, all'articolo 1614, si definisce il mancato guadagno che non è possibile prevedere come danno futuro, in quanto può essere futuro al momento dei fatti, ma può anche presentare la qualità di presente o passato a seconda del momento della sentenza, così Prato Ramirez, (2016) spiega che il primo è il danno che qualcuno sperimenta dall'evento dannoso fino al momento in cui viene emessa la sentenza, e il secondo è il danno che si verifica tra la data della sentenza e la data di estinzione dell'obbligo di risarcimento.

3. Danno morale

D'altra parte, i danni extra-patrimoniali o immateriali distinguono diversi tipi di danni, come spiega Rivera Villegas (2003), secondo cui i danni morali sono chiamati danni fisiologici alla vita e alla salute. D'altra parte, il Consiglio di Stato, nella sua giurisprudenza, fa riferimento al pregiudizio del ritardo e riconosce a chi subisce un danno antigiuridico "il diritto di ottenere un risarcimento sostanzialmente soddisfacente e spetta al giudice valutarne l'ammontare" (Rivera Villegas, 2003). (Rivera Villegas, 2003, p. 50).

Capitolo 3

RIFLESSIONI UNO SGUARDO DAL MESSICO

3. ANALISI DEL SISTEMA GIURIDICO MESSICANO IN MATERIA AMMINISTRATIVA

Innanzitutto, il 14 giugno 2002, l'articolo 113 della Costituzione messicana ha aggiunto un secondo comma al regime di responsabilità oggettiva e diretta dello Stato per i danni causati ai singoli dalla sua attività amministrativa irregolare. Dopo questa riforma costituzionale, la responsabilità patrimoniale dello Stato è stata disciplinata dalla legislazione civile, con alcune eccezioni amministrative.

Secondo la Gazzetta Ufficiale della Federazione (2004), è stata pubblicata la Legge federale sulla responsabilità patrimoniale dello Stato, che definisce l'attività amministrativa irregolare come un danno causato ai beni e ai diritti degli individui, in virtù del quale essi non hanno alcun obbligo legale di sopportarlo, per cui la responsabilità patrimoniale dello Stato è diretta, e non è necessario provare la colpa o il dolo dei funzionari pubblici che hanno causato l'atto dannoso; per richiedere il risarcimento questo vale solo per gli enti federali.

Con questa riforma costituzionale (2002), sottolinea che l'articolo 113 della Costituzione, viene elevato a rango costituzionale, e la responsabilità patrimoniale dello Stato presenta particolarità diverse dalla dottrina nota come responsabilità oggettiva e diretta, che incidono sul diritto al risarcimento; d'altra parte, la riforma costituzionale del 10 giugno (2011), fa riferimento ai diritti umani e lo Stato messicano si è visto riconoscere obblighi, in virtù della prevenzione, dell'investigazione, della punizione e della riparazione delle violazioni dei diritti umani, in termini di Legge.

D'altra parte, il regime politico democratico e la società più partecipativa nel dibattito sul diritto al risarcimento, previsto dalla Legge federale sulla responsabilità patrimoniale dello Stato e la sua applicazione, rispetto a questa Legge non è applicabile agli Stati che compongono il Paese, perché è di competenza federale.

Da quanto sopra, si evince una restrizione nel sistema della responsabilità dello Stato per danni che opera ai sensi dell'articolo 113 della Costituzione e della relativa legge regolatrice, ed è chiaro che ci sono dei limiti nella sua applicazione, per cui non c'è garanzia di tutela dei diritti delle vittime, e altrimenti si pronuncia una violazione dei diritti fondamentali, ed è necessario estendere la massima tutela dei diritti umani anche agli atti regolari della pubblica amministrazione, per cui l'estensione della tutela non può essere attuata con legge regolamentare, ma deve creare leggi e regolamenti esclusivi per la sua applicazione.

Ai sensi dell'articolo 113 della Costituzione e della Legge Regolamentare, si aggiunge che lo Stato risponderà patrimonialmente solo dei danni causati dalla sua attività amministrativa irregolare e non di qualsiasi danno, per cui è fondamentale analizzare la responsabilità patrimoniale dello Stato sulla base della teoria oggettiva e diretta, che è stata il primo momento di un sistema in via di consolidamento, e richiede un aggiornamento alla realtà nazionale e al principio pro personae che deve adottare misure di protezione per garantire i diritti umani in tutto il Paese, creando norme applicabili agli Stati che favoriscano le vittime di ingiusta privazione della libertà e disponendo di strumenti sufficienti per garantire il diritto al risarcimento in conseguenza dei danni causati dallo Stato.

Il regime di responsabilità dello Stato dovrebbe fungere da meccanismo di controllo delle azioni dei funzionari pubblici e lo Stato dovrebbe agire contro i responsabili dell'attività amministrativa irregolare che ha dato luogo al pagamento di un indennizzo, tuttavia questo regime è limitato nella sua applicazione agli Stati. Allo stesso modo, il regime di responsabilità consente agli individui di chiedere allo Stato di rispondere della sua attività amministrativa irregolare, attraverso il pagamento di un indennizzo, la verità è che quando si analizza il testo della Ley Federal de Responsabilidad Patrimonial del Estado, Il fatto è che quando si analizza il testo della Ley Federal de Responsabilidad Patrimonial del Estado, si avverte che i meccanismi di riparazione sono principalmente diretti agli enti pubblici federali, il che non garantisce agli Stati di godere di questa legge, come nel caso del Chiapas, che non ha un regime speciale di responsabilità patrimoniale dello Stato, in questa situazione le vittime di ingiusta privazione della libertà sono prive di protezione, in effetti la Corte interamericana dei diritti umani (2009), sottolinea che fin dall'inizio della legge, le vittime di ingiusta privazione della libertà sono prive di protezione, (2009), sottolinea che a partire dalle sentenze pronunciate VLxico è stato condannato per cattiva condotta e abusi commessi continuamente prima delle azioni dei funzionari pubblici dello Stato e dall'altro lato l'agenda pubblica è guidata dalla società civile contro la violenza, È stata emanata la "Ley General de Victimas que reconoce y garantiza los derechos de las victimas de los victimas del delito y de violaciones a derechos humanos" (Flores Ramos, 2014), che prevede anche misure di restituzione, riabilitazione, risarcimento, soddisfazione e garanzie di non ripetizione, a carico dello Stato e a beneficio delle vittime che si accreditano nei termini della legge.

In congruenza, Flores Ramos (2014) spiega che gli impegni internazionali che lo Stato messicano ha sottoscritto in termini di diritti umani e riconosciuti nella Costituzione Politica degli Stati Uniti Messicani, anni dopo la pubblicazione, il 9 gennaio 2013, della Legge Generale sulle Vittime, aggiunge anche che questa legge riconosce i meccanismi e le misure necessarie per promuovere, rispettare, proteggere, garantire e consentire l'effettivo esercizio dei diritti delle vittime, Questa legge crea il Sistema nazionale di attenzione alle vittime, gestito dalla Commissione esecutiva per l'attenzione alle vittime; questo organo decentrato consente allo Stato di fornire una riparazione completa a coloro che possono dimostrare di essere vittime della commissione di un reato o di violazioni dei loro diritti umani; tuttavia, quando si cerca questa commissione ci sono delle limitazioni, in quanto si occupa solo di casi di interesse federale e non è competente a trattare casi di giurisdizione comune.

Per quanto riguarda la Legge Federale sulla Responsabilità Patrimoniale dello Stato (2004) e la Legge Generale sulle Vittime, essa si riferisce alla competenza federale e si applica solo alle entità federali, poiché non garantisce i diritti umani sanciti dalla Costituzione, a causa dell'assenza di un regolamento applicabile agli Stati per l'utilizzo di questa legge. Dall'analisi di queste leggi, si evince che per l'applicazione della Legge Generale sulle Vittime nello Stato del Chiapas, in Messico, è necessario un regolamento interno per poterne usufruire.

A questo proposito, Mosri Gutidrrez (2015) sottolinea che questa legge è stata determinata come normativa e obbligatoria per tutto il territorio nazionale e per le tre aree di governo federale, statale e municipale, tuttavia per la sua applicazione è necessario un regolamento interno, che di fatto non esiste, dal momento che la legge federale non ha giurisdizione per le aree di governo statale e municipale, da quanto sopra è necessario un diritto amministrativo completo, cioè due pilastri fondamentali il principio di legalità e il principio di responsabilità dello Stato applicabile al territorio messicano.

3.1 ANALISI DEL SISTEMA GIURIDICO COLOMBIANO IN MATERIA AMMINISTRATIVA

La Colombia ha fatto progressi nell'ambito della responsabilità dello Stato a seguito del conflitto armato in cui le forze politiche al potere hanno messo a tacere coloro che pensano in modo contrario ai loro interessi, e questo è degenerato in veri e propri abusi da parte dello Stato, dato che a seguito delle lotte politiche lo Stato ha arricchito un'intera componente normativa e giurisprudenziale nell'ambito della responsabilità, In altre parole, il sistema colombiano secondo la Costituzione del 1991, dalla sua entrata in vigore la situazione è cambiata, a causa del fatto che la Costituzione e le norme di diritto fondamentale, sono norme di diretta applicazione che risolvono i casi, e d'altra parte l'esecutività e l'applicazione della Costituzione è diventata la regola, dove prima era omissione assoluta.

Tauıblëн, i meccanismi giudiziari per ottenere il diritto al risarcimento in Colombia è argomentato nella Carta Politica, (1991), articolo 90, e ha una grande rilevanza, l'applicazione della responsabilità dello Stato, in quanto è la norma suprema e determina i requisiti, le procedure e le modalità a cui devono essere sottoposte le altre norme del sistema, E per quanto riguarda l'attuazione dei meccanismi per gli effetti costituzionali, non solo mostra quanto sia manipolabile la legalità, ma evidenzia anche la necessità di strutturare controlli più forti e democratici, come quelli di costituzionalità e convenzionalità, ai sensi della legge.

Per quanto riguarda il danno illecito di cui all'articolo 90 della Costituzione, esso ha una rilevanza importante nel contesto giuridico, dato che attua un diverso impedimento alla natura e allo scopo della responsabilità, che da tipicamente punitiva diventa tipicamente riparatoria, costruendo la responsabilità dello Stato a condizione che sia ad esso imputabile, per cui il Consiglio di Stato ha dichiarato di separare l'illiceità del danno.

D'altra parte, sui criteri di riparazione si dice che deve essere integrale, e tutti i danni devono essere risarciti nella misura in cui sono provati; Nell'ambito dei danni materiali rientrano i concetti di perdita di profitto e di mancato guadagno, che devono essere risarciti in base alle prove raccolte, e anche il tempo effettivo di privazione deve essere accreditato per effettuare i calcoli dell'importo specifico; d'altra parte, i danni immateriali derivano dai danni morali, e devono essere risarciti quando si è privati della propria libertà, come afferma la Camera del contenzioso amministrativo.

D'altra parte, la legislazione nazionale della Colombia è stabilita nell'art. 90 della Costituzione del 1991, e fa riferimento all'illegalità del danno, che è imputabile allo Stato, per azione o omissione dei suoi agenti, che sarà l'illegalità del danno che può compromettere la responsabilità patrimoniale dello Stato, come conseguenza di questo scenario, chiunque sia stato ingiustamente privato della sua libertà può fare causa allo Stato.

In conclusione, è necessario sottolineare gli avanzamenti giurisprudenziali che il Consiglio di Stato ha emesso e che creano la premessa fondamentale sulla responsabilità patrimoniale dello Stato in base ai termini dell'articolo 90 della Costituzione politica del 1991, avvertendo che, indipendentemente dal fatto che le azioni dello Stato siano state legali o illegali, è sufficiente che il semplice danno attribuibile allo Stato sia illegale per la vittima per far scattare la pronuncia di responsabilità patrimoniale contro lo Stato.

Il danno attribuibile allo Stato è semplicemente illecito per la vittima per far scattare la pronuncia di responsabilità patrimoniale nei confronti dello Stato.

Tabella comparativa 1, delle somiglianze esistenti nella giurisdizione amministrativa contenziosa per la richiesta di risarcimento per responsabilità dello Stato tra Messico e Colombia.

Tabella comparativa delle analogie esistenti nella giurisdizione contenziosa-amministrativa per richiedere un risarcimento per responsabilità dello Stato.	
Messico	**Colombia**
Quadro giuridico	**Quadro giuridico**
I. Costituzione Politica degli Stati Uniti L'articolo 113, paragrafo 2, della Costituzione messicana riconosce il diritto degli individui a un equo indennizzo, se l'attività amministrativa irregolare dei funzionari pubblici dello Stato causa danni al loro patrimonio. II. Diritto normativo: Ley Federal de La responsabilità patrimoniale dello Stato, articoli 1, 2, 4, 9, 11 e 14, indica l'attività amministrativa irregolare che provoca un danno ai beni e ai diritti degli individui che non hanno l'obbligo legale di sopportare. III. La giurisprudenza di Corte Suprema di Giustizia della Nazione. IV. Ley General de Victima, articoli 1, 3, 4, 10, 12 e 73 frazione IV.	I. La Costituzione politica del 1991, L'articolo 90 riconosce i danni illeciti imputabili allo Stato. II. Diritto normativo: Legge statutaria sul Amministrazione della giustizia 270 del 1996 e i suoi articoli 65, 66, 67, 68, 69 e 70. III. Codigo de Procedimiento Administrativo y de lo Contencioso Administrativo, (legge 1437 del 2011, 18 gennaio), articoli 1, 2, 10 e 414. IV. Giurisprudenza sull'unificazione emessa dal Consiglio di Stato.

Standard internazionali	Standard internazionali

I.   La Convenzione americana del Diritti umani, articoli 10, 8 e 25.
II.   Il Patto internazionale sui diritti civili e politici
    Diritti civili e politici, articoli 9 e 14.
III.   La Dichiarazione universale dei diritti umani
    Diritti umani articoli 1, 8 e 9.
	I. La Convenzione americana sui diritti umani
	    Diritti umani articoli 10, 7, 8, 9 e 25.
	II. Il Patto internazionale sui diritti economici, sociali e culturali
	    Diritti civili e politici, articoli 9 e 14.
	III. Dichiarazione Universale dei Diritti Umani, articoli 1, 8 e 9.
	IV. La Convenzione europea dei diritti dell'uomo. Articolo 5.

Concorso	**Concorso**
I. Alle agenzie federali. II. Gli enti federali che genera la responsabilità patrimoniale dello Stato.	I. La legislazione colombiana è applicabile per l'intero territorio, mentre in Messico la legislazione non si applica a tutto il territorio.
La procedura in materia amministrativa prima:	**La procedura in materia amministrativa prima:**

I.   Legge federale sulla responsabilità
    Il diritto di chiedere un risarcimento deve essere rivolto in prima istanza all'autorità a cui è imputato l'atto dannoso, una volta che questa nega il risarcimento.
II.   Tribunale federale di giustizia tributaria
    Amministrativo, (TFJFA).
	I. Giudici amministrativi 1ª istanza
	II. Tribunale amministrativo di seconda istanza
	III. Consiglio di Stato

Regime applicabile	Regime applicabile
I. Si tratta di uno schema generale, applicabili agli enti pubblici federali. II. Regime di responsabilità diretta III. Regime di responsabilità oggettiva	I. Regime applicabile ai titoli di imputabile al malfunzionamento dello Stato. II. Regime di guasto del servizio (danno) rischio speciale ed eccezionale)
Elementi di responsabilità patrimoniale dello Stato	**Elementi di responsabilità dello Stato impediti dalla libertà**
I. Responsabilità oggettiva e diretta contro lo Stato. II. Responsabilità oggettiva e diretta contro lo Stato. III. Non è necessario dimostrare la colpa, l'errore o la negligenza. IV. Dimostrare che il danno è imputabile all'ente pubblico federale. V. Azione o omissione dello Stato. VI. Attività amministrativa irregolare. VII.Si basa sulla teoria del pregiudizio. (l'individuo ha diritto al risarcimento in virtù del fatto che ha subito una lesione della proprietà e dei diritti, nonostante l'obbligo legale di sopportare la lesione). VIII. Danni causati dall'attività irregolarità amministrative dello Stato.	I. Riparazione diretta. II. L' azione o l'omissione dello Stato consiste nel nell'adempimento degli obblighi dell'amministrazione. III. In caso di disservizio, dimostrare il nesso di causalità tra il disservizio e l'illecito. IV. Teoria soggettiva: guasto in servizio e rischio eccezionale, in questa teoria si dimostra il guasto in servizio, il danno e il nesso causale. Teoria dell'obiettivo: non si verificano danni speciali. esamina la condotta dell'agente statale e l'azione o l'omissione dello Stato deve essere provata. VI. Motivi di privazione della libertà ingiusta libertà sono le seguenti: Perché l'atto non l'ha commesso, l'associato non l'ha commesso e il comportamento ha stabilito un fatto punibile.

Fonte: informazioni pertinenti al presente documento, maggio 2017.

Tabella comparativa 2, delle differenze esistenti nella giurisdizione amministrativa contenziosa per richiedere un risarcimento per responsabilità dello Stato tra Messico e Colombia.

Tabella comparativa delle differenze esistenti nella giurisdizione contenziosa-amministrativa per richiedere il risarcimento per responsabilità dello Stato	
Quadro giuridico, Messico	**Quadro giuridico, Colombia**
I. Costituzione Politica articolo 113,	I. È riconosciuto dalla Costituzione
La seconda frazione si applica inoltre quando non esiste una legislazione che regoli il diritto al risarcimento. II. La garanzia costituzionale al federale. III. Legge federale sulla responsabilità civile	del 1991, articolo 90, responsabilità dello Stato per danni antigiuridici imputabili. II. Ha una legge di regolamentazione, che è applicabile all'intero territorio colombiano. III. La procedura è regolata
Il patrimonio dello Stato, in Chiapas, Messico, situato nel sud del Paese, non è applicabile. È applicabile solo agli enti pubblici federali. IV. Legge generale sulle vittime, no	Il Codice di procedura amministrativa IV.Hanno un ramo amministrativo. Il Consiglio di Stato specializzato è il Consiglio di Stato che emette sentenze. V. La giurisprudenza unificata emessa dalla
Tuttavia, nello Stato del Chiapas è necessario un regolamento interno per la sua attuazione. V. Non esiste una legislazione a livello di	Il Consiglio di Stato funge da precedente in materia e ha forza di legge. VI. Viene trovato un nuovo criterio di danno
autorità locale, che regola il diritto al risarcimento. VI. L'applicazione dei regolamenti di La responsabilità dello Stato è limitata agli Stati che non hanno giurisdizione. **Standard internazionali** I. Il 10 giugno 2011, l'articolo Il primo comma della Costituzione è stato modificato per incorporare i diritti umani riconosciuti dai trattati internazionali.	La Costituzione politica del 1991, tuttavia, non la riconosce nella Costituzione politica degli Stati messicani. **Standard internazionali** I. È riconosciuto dalla Costituzione del 1991, all'articolo 93, i trattati e le convenzioni internazionali applicabili allo Stato colombiano. II. Dal 1991, la Colombia ha adottato la standard internazionali, piuttosto che

II.Il Messico ha riconosciuto la normativa
      internazionale, 2011.

Concorso
I.   Gli enti pubblici dello Stato di
    Il Chiapas non ha alcuna
    giurisdizione in base alla legge
    differita.
I. Esiste   una legge federale sulla
    Responsabilità patrimoniale dello
    Stato, che non ha un regime
    applicabile agli Stati.
II.   La legge regolatrice di
    La responsabilità patrimoniale dello
    Stato non ha giurisdizione su tutto il
    territorio nazionale e per i tre livelli
    di governo: statale e comunale.

Procedura in materia amministrativa :
I.   Tribunale federale di giustizia tributaria
    L'unico organo amministrativo a
    svolgere la procedura.
II.   Non esiste una procedura regolamentata
    per gli Stati che compongono il
    Paese, come nel caso del Chiapas, in
    Messico.

Regime applicabile
I. Si tratta di   uno schema generale,
    applicabili agli enti pubblici federali.
II.   Non c'è
    In particolare, la responsabilità dello
    Stato.
III. A titolo di   esempio, il Chiapas,
    non esiste un regime di
    responsabilità dello Stato.

Messico.

Concorso
I.   La giurisdizione è applicabile all'intero
    Il territorio colombiano è un Paese
    unificato.
II.   Lo Stato dispone di basi per la
    cause che risponderanno.

Procedura in materia amministrativa :
I.   Ha delle fasi per avviare la
    procedura amministrativa
II.   Primo grado. Il procedimento è aperto,
    i giudici amministrativi hanno
    giurisdizione
III.   2° grado, i tribunali amministrativi
    decidono in prima istanza
IV.   Terza istanza, Consiglio di Stato, massima
    corte, con giurisdizione contenziosa-
    amministrativa.
V.   Colombia ha una giurisdizione
    Il tribunale del contenzioso
    amministrativo, che è responsabile della
    risoluzione delle controversie all'interno
    della pubblica amministrazione, mentre il
    Messico non ha una corte suprema in
    materia amministrativa.

Regime applicabile
I.   Hanno un regime applicabile ai titoli.
    di imputazione.
II.   esistono regimi e si classificano in:
    guasto del servizio, danno speciale e
    rischio eccezionale.

Elementi della responsabilità dello Stato per la privazione della libertà personale
I.   C'è una riparazione diretta per
    per ottenere il diritto al risarcimento, da

Elementi di responsabilità **Patrimonio dello Stato**	responsabilità dello Stato. II.Esiste una legislazione applicabile che regola la
I. La responsabilità dello Stato fa	Azione e omissione dello Stato.
riferimento al secondo paragrafo Articolo 113 della Costituzione e legge	III. Si basa su due teorie per identificare la responsabilità dello Stato.
Responsabilità federale	IV. Viene riconosciuto il danno antigiuridico. Nel
Il patrimonio dello Stato che è	Costituzione.
limitatamente all'oggetto amministrativo.	V. Esistono compendi di privazioni ingiuste. della libertà.
II. Gli elementi, che sono derivati dal Legge federale sulla responsabilità civile	VI. Nella Costituzione del 1991, la teoria della
Demanio, non applicare agli Stati.	guasto del servizio base principale per la responsabilità finanziaria del Stato.
III. C'è l'azione o l'omissione del Stato, e non esiste una legislazione che	VII.La Colombia ha titoli di imputazione che è adatta al caso, così com'è: la teoria
regolare.	soggettivo e la teoria oggettiva, mentre
IV. Mexico non ha danni contemplati.	che in Messico non ha alcun
illegale, ma la responsabilità Patrimonio dello Stato.	imputazione.

Fonte: informazioni tratte da questo documento, maggio 2017.

3.2 ANALISI COMPARATIVA DEL SISTEMA GIURIDICO COLOMBIANO E DI QUELLO MESSICANO IN MATERIA AMMINISTRATIVA PER LA RICHIESTA DI INDENNIZZO DI PERSONE INGIUSTAMENTE LASCIATE DALLA LORO LIBERTÀ

D'altra parte, vale la pena ricordare che durante il processo di indagine sul soggiorno, abbiamo trovato, nell'analisi dei meccanismi giudiziari esistenti in Colombia e Messico, in effetti un precedente nel contesto della massima protezione dei diritti umani.

Inoltre, la Costituzione politica (1991) aggiunge il diritto al risarcimento per la privazione della libertà in Colombia, che è disciplinato dall'articolo 90 di questa Carta politica, e di conseguenza lo Stato rrisponderà patrimonialmente per i danni antigiuridici.

In termini di quadro giuridico, la Colombia riconosce il danno antigiuridico nella Costituzione politica e a questo proposito esiste una legge normativa, la Ley Estatuaria de la Administración de Justicia, il Codigo de Procedimiento Administrativo y de lo Contencioso Administrativo e infine la giurisprudenza di unificazione del Consejo de Estado, che è stata trascendentale nel suo sviluppo e soprattutto a beneficio delle vittime di privazione della libertà per richiedere il risarcimento dei danni imputabili allo Stato.

Come accennato in precedenza, per la Colombia esiste una classificazione dei regimi applicabili ai titoli di imputazione, per la privazione ingiusta a questo proposito nella teoria soggettiva è prima il fallimento del servizio, il rischio eccezionale e deve dimostrare il fallimento nel servizio, il danno e il nesso causale; e per quanto riguarda la teoria oggettiva, c'è il danno speciale per quanto riguarda la prova del danno e del nesso di causalità, in relazione a questi titoli, il caso è adattato in base alla natura in cui si è verificato, in questo modo dimostrando allo Stato il danno illegale, per il quale deve rispondere.

In sintesi, i meccanismi giudiziari in Colombia per richiedere il risarcimento, in via contenziosa-amministrativa, sono regolati dalla legislazione e dalla giurisprudenza, e per quanto riguarda il risarcimento hanno un ramo speciale, per svolgere la procedura. Vale la pena ricordare che la sua legislazione è applicabile per tutto il territorio colombiano, ed è un Paese unificato, in effetti c'è un risarcimento diretto, per richiedere il diritto a essere risarciti per la responsabilità dello Stato, in altre parole è un danno attribuibile allo Stato e quindi deve rispondere, in questo scenario il soggetto non aveva il dovere di sopportare il danno antigiuridico.

Per quanto riguarda il Messico, la Costituzione politica si basa sull'articolo 113, sezione seconda, ed è interpretata come segue: quando non esiste una legislazione che regoli la responsabilità patrimoniale dello Stato, si applicherà agli Stati per rispondere ai danni causati dallo Stato; vale la pena menzionare che esiste una legge di regolamentazione, ma questa non è applicabile, si applica solo agli enti di competenza federale. Per quanto riguarda il quadro giuridico messicano, il danno antigiuridico non è contemplato nella Costituzione Pohtica, anche se fa riferimento alla responsabilità patrimoniale dello Stato e, in mancanza di una legislazione, viene applicato in modo complementare.

Si segnala inoltre l'esistenza di una Legge Generale sulle Vittime, anche se non esiste una normativa che la applichi agli Stati, in particolare nel caso del Chiapas; in considerazione di questa situazione, le vittime di privazione della libertà non sono tutelate, poiché le modalità di richiesta di risarcimento sono limitate. Per quanto riguarda le norme internazionali, il Messico ha adottato le convenzioni e i trattati internazionali nella riforma costituzionale dell'11 giugno 2011, mentre la Colombia ha approvato le convenzioni e i trattati internazionali per la prima volta nel 1995, facendoli derivare dall'articolo 93 della Costituzione con rango costituzionale. Alla luce di questo scenario, si può notare che, in termini di diritti umani, la Colombia ha adottato le norme internazionali prima del Messico, dato che ha fatto grandi progressi nel riconoscere la protezione dei diritti umani a livello internazionale.

D'altra parte, in Messico, si tratta di un regime generale applicabile agli enti pubblici federali, in altre parole, non c'è una classificazione del regime applicabile per determinare il danno, e per sistemare il caso, in base alla natura in cui si è verificato, in effetti, di fronte a questa limitazione del regime, per le vittime che chiedono il risarcimento dei danni causati, è ancora più complicato dimostrare la responsabilità patrimoniale dello Stato.

Infine, la situazione del Messico, che non dispone di meccanismi giudiziari specializzati in materia di responsabilità patrimoniale dello Stato, è paragonabile a quella della Colombia, ad esempio, che dispone di meccanismi giudiziari e di classificazione dei regimi applicabili per richiedere allo Stato il risarcimento dei danni causati. Il Messico, e in particolare il Chiapas, è obbligato a dotarsi di misure di protezione per garantire e riconoscere i diritti delle vittime.

CONCLUSIONI

1. In conclusione, il Messico, il Chiapas, dovrebbe adottare meccanismi giudiziari per richiedere il diritto al risarcimento del danno, nel caso in cui lo Stato non faccia rispettare i diritti umani agli individui, generando una responsabilità verso lo Stato, per l'attività amministrativa irregolare dello Stato, Pertanto, esiste un meccanismo di responsabilità previsto dalla legge costituzionale e regolamentare 113, come la Legge Federale di Responsabilità Patrimoniale dello Stato, che consente di riparare le violazioni dei diritti umani, che è di competenza federale, quindi, è limitata alle questioni amministrative e per la sua applicazione nello Stato del Chiapas.

2. In Messico, come nel caso dello Stato del Chiapas, Messico, che non ha una legislazione che riconosca la responsabilità dello Stato per i danni, concludo che la legislazione deve essere creata per garantire il diritto del popolo del Chiapas, e per coloro che sono vittime di una privazione ingiusta, e deve adottare misure di massima protezione dei diritti umani, purché riconosca nella Costituzione del Chiapas la responsabilità dello Stato per i danni illegali attribuibili allo Stato.

3. È necessario proporre una legge regolatrice, in accordo con la Responsabilità Patrimoniale dello Stato, che si basa sulla Costituzione del Chiapas, strettamente applicabile in modo che lo Stato del Chiapas, come qualsiasi altro Stato della Repubblica, emani la propria legge in

materia, adeguandosi alle linee guida per riconoscere i diritti delle vittime, e che lo Stato rispetti i propri obblighi e garantisca anche misure di non ripetizione.

4. In ogni caso, sono d'accordo sul fatto che la società messicana presenta sempre più spesso casi di vittime di privazione della libertà, che chiedono un risarcimento per i danni causati dallo Stato. In questa situazione, non esiste un regime specializzato di responsabilità dello Stato che garantisca i diritti delle vittime, e in questo senso è di vitale importanza promuovere il consolidamento della responsabilità patrimoniale dello Stato in Chiapas, Messico.

5. Infine, l'importanza che il Messico avrebbe nello sviluppo della responsabilità patrimoniale dello Stato incorporando che gli Stati adottino regolamenti interni per garantire alle vittime i loro diritti umani, che costituisce anche un contributo dottrinale giuridico di importanza trascendentale per il Paese.

Colombia

1. La Colombia ha un canale speciale del Consiglio di Stato incaricato della responsabilità dello Stato per l'ingiusta privazione della libertà, che è una questione specifica. Allo stesso modo, le linee giurisprudenziali relative alla responsabilità dello Stato, per l'ingiusta privazione della libertà, in relazione al Consiglio di Stato, si sono pronunciate con finalità costituzionali, e inoltre si sta spingendo a garantire le garanzie, in ragione del fatto che il Tribunale Contenzioso e Amministrativo, i giudici, i magistrati lavorano in conformità con la Costituzione Politica del 1991, allo stesso modo, Il Tribunale del Contenzioso Amministrativo e il Consiglio di Stato si impegnano a garantire i diritti e le libertà di tutti gli abitanti e a rispettare gli scopi nel territorio colombiano. Inoltre, il Consiglio di Stato aggiunge che produce 14 mila sentenze all'anno, quindi questo tribunale garantisce i diritti della Costituzione e della Legge, a favore di tutti gli abitanti del territorio nazionale.

2. Allo stesso modo, il Paese colombiano allude al fatto che dopo la vita è il diritto più importante delle persone alla libertà stessa, è proprio per dare una garanzia effettiva agli abitanti del territorio, in effetti l'esistenza di un regime con una base costituzionale e ampi sviluppi giuridici, quindi i diritti sanciti dalla Costituzione e dalle leggi della repubblica, sorge una domanda: fino a che punto lo Stato può, nell'ambito della Costituzione e della Legge, restringere, limitare effettivamente la libertà di alcune persone?

3. Il Consiglio di Stato, per quanto riguarda la responsabilità patrimoniale dello Stato, spiega che si è sviluppata una giurisprudenza fin da prima che venisse dettata la Costituzione politica del 1991, attualmente in vigore, e che in gran parte la norma costituzionale attualmente in vigore è stata addirittura ispirata da questi sviluppi e costruzioni giurisprudenziali. Per molti

anni e decenni si è affermata l'idea che lo Stato colombiano è e deve essere uno Stato responsabile, e oggi questa idea è postulata in una consacrazione espressa e positiva, nei termini dell'articolo 90 della Costituzione politica del 1991, che sottolinea che lo Stato deve rispondere patrimonialmente dei danni antigiuridici che possono essergli attribuiti, quando sono causati dall'azione o dall'omissione dei poteri pubblici.

4. L'attuale modello costituzionale dello Stato colombiano non è uno Stato irresponsabile, non è uno Stato che può causare danni, attaccare gli abitanti del territorio colombiano e rifugiarsi nell'impunità, perché non sarebbe chiamato a rispondere, dato che la costituzione politica si basa su un presupposto diverso, e lo Stato deve rispondere dei danni illegali che gli possono essere attribuiti, a causa delle azioni e delle omissioni delle autorità dello Stato stesso.

5. Qui è di maggiore importanza la responsabilità patrimoniale dello Stato che, come è noto, è stata oggetto di immensi sviluppi dottrinali, accademici e naturalmente giurisprudenziali, il tema centrale della costituzione politica emerge con vigore la responsabilità patrimoniale dello Stato, nei termini dell'articolo 90 della Costituzione politica del 1991, e si colloca nell'antigiuridicità del danno, il che significa che può derivare da azioni o omissioni di decisioni contrarie alla Legge o anche in certi casi conformi alla Costituzione e alla Legge, perché non è l'illegalità della condotta, non è l'illegalità delle decisioni dell'autorità pubblica, che compromette la responsabilità patrimoniale dello Stato, ma l'illegalità del danno, in questa prospettiva.

6. Ai sensi dell'articolo 90 della Costituzione politica del 1991, credo che si possa sostenere che la responsabilità dello Stato sia sancita dal punto di vista delle vittime, dato che ha più in mente la vittima che il comportamento che genera il danno, per cui in un dato momento il danno che una persona subisce è legale o illegale, perché se è illegale ed è imputabile allo Stato, quindi non ha il dovere legale di sopportarlo e c'è una responsabilità dello Stato.

RIFERIMENTI BIBLIOGRAFICI

Agencia Nacional de Defensa Juridica del Estado (2013). *Privazione ingiusta della libertà: tra diritto penale e diritto amministrativo.* Bogotà: Agencia Nacional de Defensa Juridica del Estado.

Castro Estrada, A. (2017). LA RESPONSABILITÀ PATRIMONIALE DELLO STATO IN MESSICO. FUNDAMENTO CONSTITUCIONAL Y LEGISLATIVO. *Instituto de Investigaciones Juridicas de la Unam.* Recuperato da https://archivos.juridicas.unam.mx

Catalogo per la qualificazione e l'indagine delle violazioni dei diritti umani della Commissione nazionale per i diritti umani del Distretto federale. (10 aprile 2017). *Catalogo para la calificacion e investigacion de violacion a Derechos Humanos de la Comision Nacional de Derechos Humanos del Distrito Federal.* Recuperato da http://www.yumpu.com

Celemin, Reyes, L., & Roa, Valencia, J. A. (2004). *Responsabilità extracontrattuale dell'Estado per la fornitura ingiusta della libertà.* Bogotà: Pontificia Universidad Javeriana.

Codice civile federale. (03 del 04 del 2016). *Codigo Civil Federal.* Città del Messico: Senado de la Republica mexicana. Recuperato da https://www.juridicas.unam.mx

Comisión Ejecutiva de Atencion a Victimas (Commissione esecutiva per l'attenzione alle vittime) (09 gennaio 2013). Messico, Messico. Recuperato da http://www.ceav.gob.mx

Congresso costituente (10 aprile 2017). *Magna Carta*. Recuperato da http://www.diputados.gob.mx

Congresso Costituente (10 aprile 2017). *Costituzione politica degli Stati Uniti del Messico.* Recuperato da http://www.diputados.gob.mx

Costituzione politica della Colombia (n.d.). In F. Gomez Sierra, & Vigesima (a cura di), *Constitucion Politica de Colombia- Anotada* (p. 71). Bogotà, Bogotà: LEYER. Recuperato il 10 aprile 2017, da wwww.constitucionpoliticadeColombia.co.

Corte interamericana dei diritti umani (10 aprile 2017). *Commissione interamericana per i diritti umani.* Recuperato da http://www.oas.org

Dipartimento di documentazione legislativa-SIID (14 giugno 2014). *Dipartimento di documentazione legislativa-SIID.* Recuperato da https://www.insp.mx

Esparza Martinez, B. (2015). *La riparazione del dano (*1 ed.). Messico: Inacipe. Recuperato da http://www.inacipe.gob.mx

Estatuaria Administracion de Justicia, Ley 270, 1996. (n.d.). *http://www.alcaldiabogota.gov.co.*

Flores Ramos, A. (2014). Analisi della Ley General de Victimas, en cuanto a la reparacion del dano por violaciones a los derechos humanos. *FLACSO MEXICO.* Recuperato da www.Flacso.com.

Flores Trujillo, M. H. (2010). *Analisi delle sentenze della Corte costituzionale colombiana in materia di diritti umani.* Recuperato da ttps://es.slideshare.net

Gomez Sierra, F. (2010). *Costituzione politica della Colombia.* Bogotà: Leyer.

Gonzalez Noriega, O. C. (8 aprile 2017). *Responsabiliad del Estado en Colombia: Responsabilidad por el hecho de las leyes.*

Guerrero, O. J., & Merchan, C. (2013). PRIVAZIONE INGIUSTA DELLA LIBERTÀ: TRA DIRITTO PENALE E DIRITTO AMMINISTRATIVO. *Agencia Nacional de Defensoria Juridica del Estado, 64.* Recuperato da www.defensajuridica.gov.co.

Gutierrez, A. (16 maggio 2017). *Tipi di sentenze emesse dalla Corte costituzionale colombiana.* Recuperato da Gutierrez, Abogados: http://gutierrezabogadosinternational.com.co

Hector, D. A. (2006). *Responsabilidad del Estado y de sus funcionarios* (Vol. tercera Edicion). Bogotà, Colombia: Ibanez.

Judicatura, C. S. (2017). *Rama Judicial Republica Colombia.* Recuperato da http://sistemagestioncalidad.ramajudicial.gov.co

Legge generale sulle vittime (03 maggio 2013). *Diario Oficial de la Federation.* Messico. Recuperato da www.diariooficialdelafederacion.com

Maryse, D. (2010). *La Justicia y la responsabilidad del Estado.* Bogotà: Universidad Santo Tomas.

Meneses Mosquera, P. A. (2000). *EVOLUZIONE DELLA GIURISPRUDENZA DEL CONSEJO DE ESTADO IN MATERIA DI SICUREZZA URBANA.* Bogotà: (Tesi). Pontificia Universidad Javeriana, Facultad de Ciencias Juridicas. Recuperato da Evolucion jurisprudencia del Consejo del Estado en materia de seguridad ciudadana: http://www.javeriana.edu.co.

Mosri Gutierrez, M. (2015). ANÁLISIS DE LA LEY FEDERAL DE RESPONSABILIDAD PATRIMONIAL DEL ESTADO

Y DE LA LEY GENERAL DE VICTIMAS: DESAFIOS Y OPORTUNIDADES DE UN REGIMEN EN CONSTRUCCIÓN. *Cuestiones Constitutionals, (33)*, 133-155.

Nazioni Unite (12 ottobre 1965). Recuperato da http://www.un.org

Nader Orfale, R. F. (19 ottobre 2010). *EVOLUZIONE GIURIDICA DELLA RESPONSABILITÀ EXTRACONTRATTUALE DELLO STATO IN COLOMBIA.*

OSA. (10 aprile 2017). Recuperato da http://www.oas.org

OSA. (10 aprile 2017). *Alto Commissario delle Nazioni Unite per i diritti umani.* Recuperato da http://www.ohchr.org

Perez, M. (28 luglio 2009). La responsabilità patrimoniale dello Stato sotto la lente della giurisprudenza del Poder Judicial de la Federacion. 13-38. Recuperato da https://doctrina.vlex.com.mx

pinzon Munoz, C. E. (2016). *La responsabiidad Extracontractual del Estado- Una teoria normativa* (G. I. Carreno, Ed.) Bogotà, Colombia: Ibanez.

Magistratura federale. (2016). *Institute de Investigaciones Juridicas de la Unam,* 4. Recuperato da http:archivos.juridicas.unam.mx

Prato Ramirez, L. J. (2016). *La responsabilidad del Estado por privacion Injusta de la Libertad en Colombia* (tesi di laurea magistrale). Universidad Colegio Mayor de nuestra Senora del Rosario. Recuperato da http://www.repository.urosario.edu.co

Revista Juridica de la Unam (2013). Organizzazione del potere giudiziario. *Instituto de Investigaciones Juridicas de la Unam(2),* 36. Recuperato da http://www.juridicas.unam.mx.

Rivera Villegas, A. M. (2003). *RESPONSABILIDAD EXTRACONTRACTUAL DEL ESTADO: ANALISIS DEL DANO FISIOLOGICO O A LA VIDA RELACION* (Tesi di laurea). Pontificia Universidad Javeriana, Facoltà di Giurisprudenza e Scienze Giuridiche, Dipartimento di Diritto Pubblico.

Rodriguez R, L. (1997). Estructura del Poder Publico en Colombia. Bogotà: Temis S. A.

Saavedra, Ordonez, O. D. (2015). *Alterazione delle condizioni di esistenza nei membri dell'esercito nazionale feriti in combattimento o in operazioni militari.* Bogotà: Universidad Millitar Nueva Granada.

Sentenza, 14408, 14408 (1 marzo 2006).

Suprema Corte de Justicia de la Nacion (gennaio 2013). Recuperato da http://sjf.scjn.gob.mx

Suprema Corte de Justicia de la Nacion (Vol. 3). (Gennaio 2013). Città del Messico: Suprema Corte de Justicia de la Nacion. Recuperato da www.scjn.gob.mx

Suprema Corte de Justicia de la Nacion, Tesis aislada (10 giugno 2005). *Suprema Corte di Giustizia della Nazione, Tesis aislada.* Recuperato da Seminario Judicial de la Federacion y su Gaceta, Libro XVI.

Torres Herrera, R. (2004). LA RESPONSABILITÀ CIVILE COME ANTECEDENTE DELLA RESPONSABILITÀ PATRIMONIALE DIRETTA E OGGETTIVA DELLO STATO. L'ESPERIENZA MESSICANA. *Instituto de Investigaciones Juridicas de la UNAM,* 2. Recuperato da www.juridicas.unam.mx.

Tribunale Superiore di Giustizia dello Stato del Chiapas (6 agosto 1973). *Tribunal Superior de Justicia del Estado de Chiapas.* Recuperato da http://www.poderjudicialchiapas.gob.mx/

[14]Il paragrafo precedente è stato considerato in linea con la Sentenza C-225 del 1995, e la Corte Costituzionale, relatore Alejandro Martinez Caballero.

Milton Keynes UK
Ingram Content Group UK Ltd.
UKHW010851280324
440101UK00001B/160